JN086066

文系でも転職・副業で稼げるAIプログラミングが最速で学べる!

Hibino Shin
日比野 新

「自分のためにAIを使う」ということ

ここ数年、AI（人工知能）というキーワードが新聞や雑誌、インターネットにあふれています。そこで「AI」と聞くと、

- **自分とは関係のないもの**
- **一部の業界にいる人だけが使うもの**

という「遠い存在」に思っている人は多いのではないでしょうか。あるいは、

- **仕事が奪われる！**
- **知らないところで監視されている！**
- **ロボットが暴走する！**

という近未来映画にあるような不安を感じている人もいると思います。

前者は「AI」が身近な存在になってきていることを感じていないため、知らず知らずの間に**「AIに都合良く使われる人」**になるかもしれません。

後者は「AI」に強い不信感を抱いているため、**「AIを上手に使えない人」**になってしまう可能性を含んでいます。

どちらも来るべき近い将来を考えると、大変もったいない生き方を選択しているといえます。

「AI」は現状ではツール、つまり人間の道具です。

人間はこれまでにも道具を上手に使うことで未来を快適にしてきました。同じようにあなたも**自分のためにAIを使うことで未来を快適にする**ことができるのです。

年収1000万円も狙える!

例えばあなたが「AI」を道具だと認識し、上手に使えるようになれば、いま勤めている会社で年収がアップするかもしれません。

というのも、新聞やニュースで見た人も多いかと思いますが、例えばメーカー大手のNECは、若手社員向けに「高度なAI人材なら年収1000万円を超える制度を導入する」と公表しています。

ソニーの場合は給与を最大2割引き上げ、富士通は年齢に関係なく数千万円の報酬支払い可能……このように、AIに代表されるデジタルスキルを持つ人材には高い市場価値があるため、報酬を高く設定しようという動きが出ています。

こうした話を聞くと「どうせ大手だけだろう」「自分たちには関係ない」「中小零細にはどうせ……」という声も聞こえてきそうですが、本当でしょうか。

少し前の時代、1980年代に広がった「OA化」を思い出してみてください。

大手が導入し始めたパソコンでの業務は、数年の間に中小零細企業にも波及しました。そして2000年を境にインターネットが普及したことで、「自分たちにはパソコンを使った仕事なんて関係ない」と思っていた人の目の前にノートパソコンが登場し、エクセルやワードを使い、メールで連絡を行うようになっています。

ということは、仮に高度なAI人材は大手企業以外では必要ないとしても、**今後あなたの仕事や暮らしの中で、エクセルやワードと同じように「AI」を使うことが当たり前になる可能性は相当高い**のです。

このような話が空想ならいいでしょう。しかし次のような話を聞くと、あなたはどのように感じますか?

「AI　大学教育共通化」

AI分野の人材育成のため、文部科学省は2019年秋、全ての大学でAIの基礎を学ぶことができるよう全国共通のカリキュラムを作成する。早ければ2020年の春から一部大学での先行実施を検討。将来的には、毎年、全大学の1学年全員にあたる約50万人の学生がAIを学習する体制を目指している。

（引用：読売新聞2019年6月7日）

また、次のような話も同じ時期に掲載されていました。

「政府　競争力強化へ戦略策定」

AIが今後さらに社会に普及してくことを踏まえ、毎年100万人規模の児童・生徒が、AIの基礎を学習できる教育改革に取り組む。

（引用：読売新聞2019年5月29日）

世界的に競争の激しいAI分野ですから、こういった動きは比較的早いタイミングで動き出すことでしょう。そしてAIの基礎を学んだ人材が市場に続々と登場すると、AIの基礎を学んでいない人は大変厳しい状況に追い込まれるかもしれません。

また、このような状況は、日本だけではなく世界的な規模で動きが出ています。例えば、マイクロソフトは「AIアカデミー」を、アップルはAIを学べる講座を、グーグルもAIを学べるコミュニティを提供し始めています。

アフリカ内陸にあるルワンダは、IT立国を目指し混乱した情勢から目覚ましい復興を遂げています。

ますますAIの基礎を学んでいない人にとっては都合の良くないことが起こり始める気がしませんか？

転職のチャンスも広がるし、フリーランス・副業案件も狙える！

AIは、どのくらい身近なところにあるのでしょうか。例えば、以下のようなシーンが挙げられます。

- **車の自動運転をする**
- **画像を判断して架空請求を見つける**
- **画像診断による医療の精度向上**
- **気象データを用いた商品販売予測**
- **養殖魚の食欲を判定し、餌やりの自動化遠隔化を可能にする**
- **人手不足を補うため、使い業務や事務処理の自動化（RPA）**

他にも、人手不足が叫ばれる製造業、物流業などは、すでにIoTとAIが導入され始めているので、AIの基礎すら知らないままだと効率的に仕事を進めることが難しくなるでしょう。

ここで気づいていただきたいのは、**AIは今後大きな市場性を持っている**ということ、そして私たちの**仕事や収入、暮らしに大きく影響してくる**ということです。

具体的にいうと、もしあなたがAIの基礎を学んでいれば転職の際の強力な武器になるはずです。

また、時間と場所と収入の自由を手に入れるためフリーランスとして働くうえで有利になるでしょう。

加えて、そうした流れができてくると、当然のように副業市場にもAIを使える人の募集が増えてきます。

AIを使うスキルを身につけておけば、ライバルの少ない中で高単価の仕事を受けることも難しくなくなるでしょう。

AIは独立や創業、開業にも欠かせないスキル

もう1つお伝えしたことがあります。

あなたが独立や起業・開業を目指しているのなら、AIの存在は欠かせません。

例えば、AIを使った情報分析によって、あなたはライバルが見つけていない市場を発見できる可能性があります。

また、顧客の行動を把握し、マーケティングに役立てることもできるでしょう。

AIによる自動化を使えれば、あなたの仕事は効率的なまま減っていき、独立や創業、開業するときに思い描いた暮らしを実現することも可能なのです。

質問:AIによってあなたの仕事はなくなる? [YES・NO]

ここで「NO」と答えた人は、ここから先を読む必要はありません。そのまま「本書をお読みになる前に」へ進んでもらえればOKです。

「YES」と答えた人は、不安や心配を抱えていると思いますので、ここから少し、気持ちを楽にしてもらえる話をしていこうと思います。

AIから仕事を奪われる前にやっておきたいこと

「YES」と答えたあなたは、ある日、あなたの職場へロボットの形をしたAIがやってきて、

○○さん、ごくろうさまでした。
AIの私があなたの仕事を引き継ぎます。

と機械的な声によるセリフを聞きながら、あなたはダンボール箱を1つ受け取り、

デスクやロッカーに置かれている私物を詰め込んで肩を落として去っていく……という海外ドラマのワンシーンみたいなことをイメージしているのではないでしょうか。

まず、ここに大きな間違いがあります。

あなたの仕事がなくなるのは、AIがあなたの仕事を標的にし、奪い取るからではありません。

あなたの仕事がなくなる本当の理由は、AIを導入し人件費削減を決めた経営者の判断なのです。

ということは、あなたが仕事を奪われないためには、AIを導入し人件費削減を決めた経営者に

「○○さんは必要だ」

と思わせること。すなわち、**導入される「AIを使う人」にあなたがなること**なのです。

将来の収入が心配なら、AIプログラミングを学ぼう!

もし、あなたがこの本を手に取ろうと考えた瞬間、将来の収入や仕事が心配だったのなら、いま、あなたはベストな選択をしています。

人の未来は、毎日の小さな選択（チョイス）で成り立っています。大きな決断が未来を決めるのではなく、瞬間瞬間の選択の積み重ねで決まるのです。

そこであなたに質問です。

あなたは「AIに仕事を奪われる人」になりたいですか？ それとも「AIに使われる人」でいたいですか？

どちらでもありませんよね。

ここまでお読みいただいているあなたなら、おそらく「AIを使う人」になりたいと考えているはずです。

それなら、あなたが選択するべきことはたった1つ。

AIを使うために必要な基礎を理解するために、AIに強いPythonを使った「AIプログラミング」を学び、

- **AIの仕組み**
- **AIが得意なこと**
- **AIが苦手なこと**

を理解するのが近道です。

本書の特徴

本書は、世間によくある「AIプログラミングの専門書」ではありません。
統計学や微分積分など、退屈な話を詳しく解説した専門書ではなく、**「AI時代の働き方に使えるビジネス書である」**ということです。

いわゆる「AIプログラミングの専門書」は、開発者や研究者を目指す人が大好きな難しい公式や数式を知らないと、3ページで閉じてしまうほど退屈なものです。仮にがんばって読み進めたとしても最後まで読むこともなく、何ができるのかもわからないまま放置されるのがお決まりのパターンでしょう。

しかし本書では、AIやプログラミングや最近人気の高いPythonに興味を持ち、自分の人生を少しでも変化させてみようと前向きに考え、新しいことへのスタートラインに立った人が、どのようにすれば「なるほど！」と感じてもらえるのか、

どのように学習したことを役立てられるのかを知ってもらえることを前提にしています。

そして「未経験者がAIプログラミング学習する」ことで「AIを使う人」を目指すことに重点を置き、複雑な公式や専門用語は最小限に留めています。

さらに、少しでも成長を実感してもらうため、手を動かしながら理解を深められるパートを多く用意しています。AIプログラミングは語学や音楽と同じで、頭だけでなく体も一緒に動かすことで知識や技術が身につきやすくなるのです。

AIプログラミングには2つある

AIプログラミングの学習には、大きく分けて2つの種類があります。

1つは「数学」「統計学」「微分積分」など言葉を聞いただけで楽しい気分が吹っ飛ぶ人も多い、そして理系出身者なら「理数系」や「理工系」と呼ばれる分野で学んだ知識をフル活用する**「AIそのものをプログラミングする学習」**です。

もう1つは、車の運転や電子レンジの操作と同じように、それぞれの難しい原理や自動で動く仕組み・方程式はブラックボックスのまま**「簡単・便利に使いこなすためのAIプログラミング学習」**です。

私たちのように数学の専門家でない人間がAIプログラミングを学習し、仕事や暮らしに生かすことを第一に考えるのなら、後者を選ぶのが正解です。

本書で学べる3つのゴール

本書では**「AIそのものを作る」のではなく「AIを操る」プログラミングをゴール**にしています。

第1のゴール

AIプログラミングに欠かせない人気のプログラミング言語「Python」の基礎を習得。

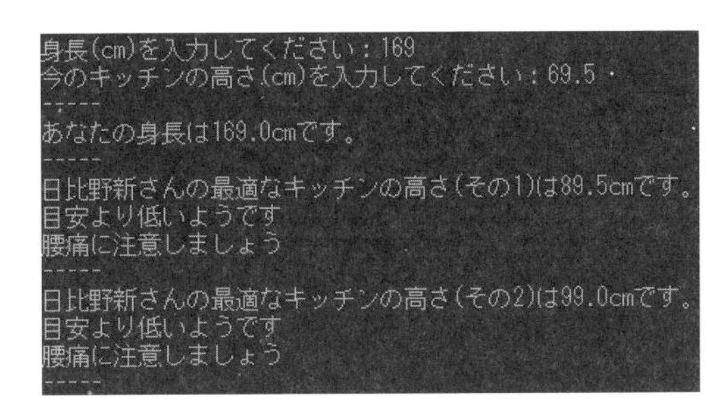

第2のゴール

AIの代表的な機能「画像検出」の仕組みを自分でプログラミングして実体験。

第3のゴール

AIと切り離せない「機械学習」を自分でプログラミングして、コンピュータが自動的に画像を分析し分類する実体験。

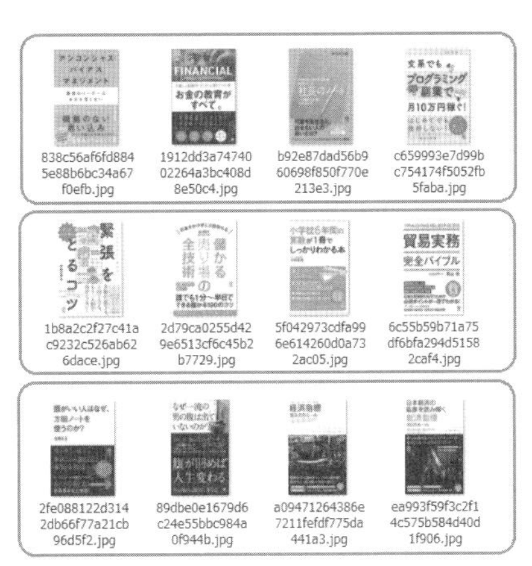

それぞれ家庭にあるパソコンを使い、手を動かしながらAIプログラミングを1ステップずつ体験できます。ゴールに到達するころには、曖昧で得体の知れない存在だったAIの仕組み、AIができること・できないことを理解できているでしょう。

AIプログラミングの知識は幅広く役立つ!

本書の内容をきっかけに「Python」の学習を進めていくことで、AI以外のプログラミングもできるようになります。

例えば、以下のようなものです。

- **Webを使った通販サイト**
- **会社で使われているような業務を効率化するシステム**
- **今後導入が増えてくることが予想されるRPA**

さらに、AIに興味を持って学習を深めることができると、今後ビジネスで活用されることが増えるツールを使いこなせるようにもなります。

- **AIを使ったマーケティング**
- **売り上げや需要の予測**
- **スタッフのスケジューリング**
- **人材のマッチング**

こうしたツールを駆使できるようになれば、あなたへの期待度や信頼度は格段にアップします。

本著を書いた理由

前著『文系でもプログラミング副業で月10万円稼ぐ!』(かんき出版)を出版させていただいたことで、読者の方々から数多くの嬉しいメッセージをいただきました。

- **パソコンは昔から苦手で嫌いでしたが、少しずつできるようになり、自分で作ることの喜びを感じ楽しくなってきました(男性)**

プログラミングを勉強しようと思い、初めて購入した本になりました（男性）
わかりやすい本を出版していただき、ありがとうございます（女性）
プログラミングは無縁の世界でした。プログラミング専門家しかできないと思っていましたが、本書はそうではありませんでした（男性）

しかし、私は喜んでいただいた方々からのメッセージを受け取ると同時に、もしプログラミングについてまったく知識やスキルを持たないままの人が増えてしまうと、「収入面において今後どのような差が生まれてしまうだろう……」という不安も頭をよぎりました。

そこで、時代の流れに合ったプログラミング言語を使い、プログラミングの仕組みやAIの仕組みを知ってもらいながら、仕事や仕事以外で収入を得る方法に役立つことはないかと考えました。
そして、数学や統計学が苦手な方でも楽しみながら体験し「AIを使う人」になるために最低限必要なプログラミングの基礎が学べる内容を紹介しようと思い、今回2冊目となる本書を書かせていただくことになりました。

ここまでお読みのあなたへ、最後に質問をしたいと思います。
「自分の収入や安心できる暮らしのために、何かに打ち込んだことがあるでしょうか」

今、あなたの目の前には2つの道が用意されています。
「AIを使う人」を目指す道。もう1つは「これまでと同じ」道。

あなたはどちらの道を選びますか？　今日のチョイスが明日に、そして未来へつながる一歩であることは確かな事実。未来を選ぶのは、あなた次第です。

本書をお読みになる前に

注意点、課題、ダウンロードについて

注意点

▶ 本書は、2019年9月時点の情報をもとに解説しています。本書の出版後にソフトウェアや言語がアップデートされることで、機能や画面が変更される可能性があります。あらかじめご了承ください。

▶ 本書で解説しているソフトウェアや言語のバージョンは、おもに以下のとおりです。お使いのソフトウェアや言語のバージョンの違いにより、紹介しているとおりの結果が得られない場合があります。

- Microsoft Windows10 Home 1903(build:18362.356)
- MacOS Mojave 10.14.3
- Python 3.7.4
- Anaconda 3(64-bit) 2019.07
- OpenCV 3.4.2
- scikit-learn 0.21.2
- scikit-image 0.15.0

▶ 本書に掲載したサンプル画像や各名称、設定手順は、著者独自の設定に依存するものです。WindowsやMacの初期設定と異なる場合があります。

本書で紹介しているフリーソフトは、開発者の都合により、開発中止、配布停止になることがあります。またこれらのソフトウェアのダウンロード、使用、サイトへのアクセスによって起こった損害については、出版社および著者は一切の責任を負いません。必ず自己の責任においてご使用ください。

課題について

本書では、より理解を深めていただくために課題を用意しています。学習したことが知識だけで終わらず身についているか確認するためにもご活用ください。

課題の内容　実際に行う課題の内容です。

ヒント　課題を行ううえでのヒントを記載しています。

答え合わせ　課題の答え合わせをしましょう。ご自身が作られたものと比較してみてください。

ダウンロードについて

本書で使用する素材や答え合わせのファイルは、以下からダウンロードできます。

https://021pt.kyotohibishin.com/books/aipg/

上記からダウンロードされたファイルは、本書の学習用途のみご利用いただけます。上記からダウンロードされたファイルを使用した結果については、出版社および著者は一切の責任を負いかねます。必ずご自身の責任でご使用ください。

ソフトのバージョンアップ等により、出版時から本書内のコードや画像が変わっている可能性があります。詳しくは上記URLからご確認ください。

本書の読者限定！
「特設サイト」で質問しよう！

プログラミングで悩んだときに質問できる無料サービスを紹介するよ!

プログラミングをやっていくと、わからないことや思っているようにならないことが出てくるもの。もちろん書籍やインターネットを見ながら自分の力で解決できるのが理想です。でも「どうしてもわからない」ということもあるはず。

そんな読者の方のために、本書専用の「特設サイト」を開設しました。

Zero to One Program Training
https://021pt.kyotohibishin.com/books/aipg/

このサイトでは皆さんからの質問を受け付け、それに対しての回答を無料でお送りいたします。なお、以下の点はあらかじめご留意ください。

1. 問い合わせは、本書の内容範囲のみとさせていただきます。OSやソフトウェアの使い方などに関しては開発元へご相談ください
2. 問い合わせが集中した場合、返信に数週間のお時間をいただく場合がございます
3. 予告なくこの特典は終了する場合があります

詳しくはホームページ「特設サイト」の情報をご確認ください。

第3章 AIプログラミングに欠かせない「Python」を身につけよう!

第4章 AIプログラミングの代表「画像検出」をやってみよう!

第5章 話題の機械学習を体験しよう!

ブックデザイン　小口翔平＋岩永香穂＋三沢稜（tobufune）
イラスト　坂木浩子
図版作成　荒井雅美（トモエキコウ）
DTP　野中賢（株式会社システムタンク）

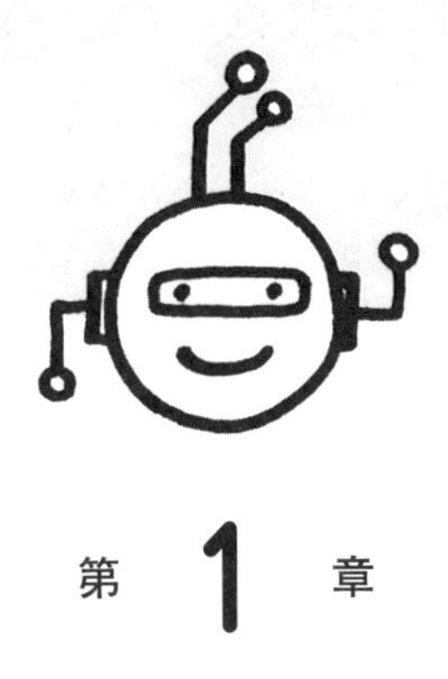

第1章

AIプログラミングを始めるべきこれだけの理由

1日目 1/7 AIプログラミングを知っておくべき理由

「AIプログラミング」と聞くと、難しそうなイメージを持ってしまいがち。でも実は難しい理論や数学の知識を使わなくても大丈夫!

仕事や生活に「AI」

最近、AI(人工知能)や機械学習という言葉を目にしない日はありません。「AIによって奪われそうな仕事がある」といった話を新聞やネットで見る機会も増えました。

反対に、「車が自動運転になる」「カメラに顔をかざすだけで決済できる」「仕事での作業が自動化されて楽になる」などのワクワクするような話も登場しています。

このような予測や事実を合わせて考えるとわかるのは、**「2020年以降、AIは私たちの仕事や普段の生活に意識せずとも入り込むようになる」**ということです。

得体の知れないままで大丈夫?

すでにAIはビジネスや生活で使われている部分もあります。ですが、今はAIのことを知らなくても仕事や生活を続けることはできます。

しかし、あなたがAIによって「仕事が奪われるかも」という不安を解消し、もっと楽ができるようにならないかという希望を実現したいのなら、得体の知れないAIの「できること・できないこと」を知る必要があります。

どうやってAIを知ればいいの？

では、どうすれば「AIに使われる側」ではなく「AIを使う側」に立てるのでしょうか。

答えは簡単。パソコンを使って、自らの手でAIを使って動かし、その特性を理解すればいいのです。

多くの人が勘違いしているのですが、**AIの特性を知るのに難しい理論や数学の式は必要ありません。**AIを簡単に使うことが得意な「Python（パイソン）」と呼ばれるプログラミング言語が用意されているからです。

このプログラミング言語はAIの特性を学びやすいだけでなく、同時にこれからのビジネスシーンで必要とされ、かつ人気も高いため覚えておいて損はありません。

さらに機械学習も知りたくありませんか？

AIと一緒に登場する「機械学習」というキーワード。あなたも目にしたことがあると思います。とはいえ、機械学習って何なのか、AIとどのような関係があるのかピンとこないのではないでしょうか。

でも、Pythonを使ってAIの特性を知ると、機械学習の知識も自然と身につきます。

仕事や生活にAIを導入する際には、「人間がAIと同じことをしたとき、どちらのコストが適切なのか」ということを比較する必要があります。

あなたはAIプログラミングというスキルを学び、AIの特性を理解し、比較できるようになることで、仕事を奪われるのではなく、仕事を創り出し「AIを使う側」に立つことができるのです。

1日目 2/7

AIプログラマーになれば年収1000万円も狙える!

AIや機械学習の能力を少しでも身につけていると、収入アップにつながる可能性大!

AIプログラミングが有利な理由

AIや機械学習はとてつもないスピードで進化し続けています。しかし、いまはまだ人間の調整が必要ですし、調整できる経験豊富な人はごく少数。AIや機械学習について知る人はまだまだ少ないのです。

ということは、**これから学習を始めることで、先んじてAIを駆使できる人材になることができれば、その恩恵を受けられます。**誰もが同じスタートラインに立ち、チャンスを手に入れ、人生に変化をもたらすことができるのです。

ビジネス界でもこんな話題が

パナソニックは、AI人材育成プログラムを実施することで、社内でAIを理解し使える人を育成しているという話が新聞に掲載されていました。また、大手空調メーカーのダイキンは、次の3つのレベルで人材獲得と育成を行っているようです。

LEVEL1：AIを使った製品やサービスを企画できる。データ分析はできないが、技術やシステムの仕組みは理解している
LEVEL2：公開されているフレームワークやツールを使いこなせる。データ分析ができる
LEVEL3：最先端の技術をシステムに導入し応用できる

パナソニックとダイキンの話題だけを見てもわかることがあります。わかりやすいので、ダイキンが設定しているLEVELを使わせてもらうと、「LEVEL2」や「LEVEL3」に関しては、専門知識を持った人でないと対応できないかもしれません。しかし、「LEVEL1」なら私たちでもできそうに感じませんか。

また、「LEVEL1」の話から見えてくることもあります。それは、**AIや機械学習の専門的な知識を駆使できる天才的な人材だけではなく、AIや機械学習の基礎を理解し、動かすために必要なAIプログラミングの知識を少しでも身につけた人が求められている**ということです。

さらに、こんな話題も!

この2社以外にも、例えばNECが「AIなどの先端分野で高い能力を持つ人材なら、新卒でも年収1000万円超えも考えている」という話があります。年収1000万円は簡単ではないかもしれませんが、**AIや機械学習の能力を少しでも身につけていると、収入アップにつながる**ということは読み取れます。また、会社員なら転職、学生なら就職、未来の副業にもプラスになることは明らかでしょう。

そして、プログラミングのスキルについては、よく次のような特徴が挙げられています。

学歴や職歴は関係ない
手に職をつける手っ取り早い方法
アルバイトなどの非正規ではなく「正社員」としての働き方を手に入れやすい

一般的なプログラミングスキルでこうなのですから、これがAIや機械学習の基礎を知ったうえでのスキルなら、あなたの人生をプラスの方向へ押し進めてくれることは間違いありません。

1
日目
3/7

転職・就職、副業でとても有利に！

転職や自由な働き方、未来の副業にAIプログラミングが有利なポイントを掘り下げて見ていくことにしましょう。

転職

AIプログラミングの知識やスキルをすぐにでも活用したい「LEVEL1」の人を欲しいと考えている業界は、続々と出てきています。一般的にAIプログラミングの知識やスキルというと、IT業界だけのように見られるかもしれませんが、実際にはそんなことはありません。

AIが仕事や業務に入り込む業界、AIなしでは効率化が難しく人材不足を補えない業界では、いますぐにでもAIを使える人を求めているのです。

IT業界以外を挙げると、例えば以下の業界です。

- **物流業** → 最適な荷物の出し入れから配送ルートなど
- **製造業** → 製造するための基礎研究から最適な生産計画など
- **農業** → 農業は人材不足なのでスマート化が進んでいます
- **水産業** → 漁場の選定や養殖にもAIは切り離せません

このような業界では、AIとIoTの導入が不可欠になっているため、社運をかけてAI人材を募集している企業も珍しくありません。当然ですが、今後は一部の業界を除いてAIは導入されていくので、LEVEL1の人を採用したいと考える会社はどんどん増えていくことでしょう。

フリーランス

フリーランス案件として、Pythonを使ったAI案件が登場しています。例えば、フリーランス案件を得意としているL社の案件状況を参考にすると、次のような内容を見つけることができました（2019年11月時点）。

AIを用いた教育／医療／物流に関わるサービス開発　～80万円/月
料理動画メディア関連データ解析支援　～90万円/月

いきなりは難しいかもしれませんが、案件の中には**「今後需要の増加が見込まれるAI関連の案件ですので、すでに実務経験がある方のみならず、経験を積まれたい方にもおすすめの案件」**というものが出てきています。

副業

副業に関しては、ホームページ制作のように多数の案件は出てきていません。これは中小零細企業でAIが必要になるまで少し時間が必要だからです。

とはいえAIの浸透は非常に速く、すでに大手企業は導入し始めているので、中小零細企業も導入を拒むことは難しいはず。ということは、2～3年の間にAIプログラミングの副業案件は、今よりも増加している可能性は十分にあります。

多くの人が取り合う従来の副業ではなく、高単価を見込めるAIプログラミングの知識とスキルをいまのうちに身につけておけば、大きなアドバンテージを得られます。

さらに、副業を始める前段階として、いま勤めている会社で役立てて練習できる可能性もありますね。

1 日目 4/7

AI人材は不足している！

AI人材は日本はもとより世界中で不足状態。つまり、「引く手あまた」だということ！

AI人材が求められている事実

「引く手あまた」だと聞いても、AI人材がどういったところで求められ、どのように活用できそうなのかイメージできないかもしれません。そこでメディアで発表されている内容からAI人材が活躍できる分野を見てみましょう。

- **森永製菓は日本気象協会との連携で「アイス日和」を予測し、生産と販売の目安を見つける試みを実施。ビッグデータ＋AI＋気象予報の精度向上を組み合わせることでビジネスへの利用を検討。**
- **クボタは2020年に自動運転トラクターの販売を目指す**
- **木をドローンで撮影し、画像から木の健康状態をAIで判定**
- **架空請求のハガキやメールをAIが画像から特徴を検出して判定**
- **水産養殖業で魚がエサを食べる画像から健康状態を判定**

他にも、（前に述べたように）物流業や製造業ではすでにIoT化が進んでいるため、次のステージとしてはAIを使った自動化や効率化が必要になることも予想されています。

このようにIT業界ではない、AIを開発する会社ではない分野でも、AIを理解し使える人材が必要になりつつあります。ということは、超一流のAI研究者や開発者だけが必要なのではなく、AIを適切に使える人がさまざまな業界で必要になってくることは間違いないでしょう。

国や大学でも対策が進んでいる

AI人材の不足は国レベルでも認識し、強化する対策が進んでいます。
例えば、以下のようなものです。

政府はAI分野の人材強化のため、毎年100万人規模の児童生徒にAI学習の取り組みを計画
文部科学省は2019年秋、すべての大学でAIの基礎を学ぶことができる全国共通カリキュラムを作成
大学でもAI時代に対応した学部を新設

国家試験にも影響

IPA（情報処理推進機構）が運営する「基本情報技術者試験」という国家試験があります。IT関係のエンジニアを目指している方なら、この資格取得を目指している人も多いと思います。

この国家試験では昔から「COBOL」という事務処理に強いプログラミング言語を選択して受験することができました。
しかし、昨今のAI分野の拡大により「COBOL」が廃止。AIで利用されることが増えた「Python」を新たに選択できるよう2020年の春から変わります。

こういった流れからも、AI人材を底辺から強化していこうという気持ちが伺えます。

1日目 5/7

AIによる大量失業時代が来る前に！

AIの現状と将来性を知れば、AIプログラミングの必要性がよくわかる！

少し前までのAI

パソコンのスピードが今よりも遅く、インターネットも普及していなかった25〜30年前、ひらがなをキーボードから入力し空白キーを押すことで「自動的に漢字変換」してくれることを「AI」と呼んでいました。

でも現在なら、スマホでも仮名漢字変換をしてくれて当然。誰も「おっ、AIが動いてくれた」なんて思いません。

このように「AI」という言葉が持つ意味やイメージは時代や技術の進歩によって変化しているのです。

AIにはレベルがある

現在のAIにはレベルがあり、レベル1〜5までに分類されています。それぞれの内容を見ていきましょう。

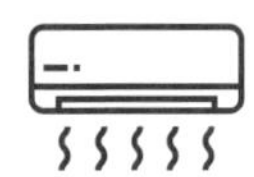
エアコンなど

お掃除ロボットなど

レベル3
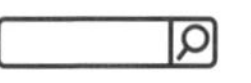
検索など

人に近い、人と同じ、超えてるかも？
そんな存在

レベル1：状況を感知し、予測して行動する

エアコンなら人が居る場所を感知し、体感温度を予測して室温を適切にします。

レベル2：状況を感知し、最適な行動を判断して選び行動する

「ルンバ」という掃除ロボットやドローンがここに入ります。

レベル3：最適な行動を判断する部分に機械学習を取り入れている

検索結果を導き出しているGoogleの「検索エンジン」が有名です。

レベル4：特化した分野だけの知能を持っている

車の自動運転システムや将棋・囲碁に強いシステムなどです。

レベル5：なんでも自分で学習して人間のように判断できる

例えば、「ドラえもん」「鉄腕アトム」「HAL2000」「チャッピー」「ウルトロン」などです。おわかりのとおり、レベル5は実現していません。

AIの将来性

仕事や生活の中にレベル3、レベル4のAIが入ってくることは間違いありません。これは労働から解放されるということであり、喜ばしいことです。

でもここで問題になってくるのが、**「経営者が人件費削減のためにレベル4のAIを導入したら、"大量失業時代"を迎えるかもしれない」**ということ。

窓口業務のように決まったことだけやる仕事、情報を使って予測や計算をする仕事、技術や経験は必要なく長時間働く仕事……。これらはレベル3や4のAIに代替えされやすいため、収入を得ることが難しくなる可能性もあります。

反面、AIには難しいこともあります。これはレベル5が実現できていないことがヒントになります。五感と経験が必要な仕事、責任の重い仕事、パターンで判断できない仕事、人に寄り添う仕事などです。

しかし、これらの仕事へ急に転職はできませんよね。

そこで誰にでもチャンスがあり、かつ収入アップや未来への可能性がグンと広がる方法の1つとして「AIプログラミング」をおすすめしているのです。

1日目 6/7

なぜAIプログラミングで画像検出？

画像検出の役割や学びの流れを紹介するよ!

なぜ画像検出？

AIプログラミングを学習するには、さまざまな方法があります。例えば、音声認識、機械学習、統計学などです。

しかし、これらは専門的なスキルと知識、さらにはハイスペックなコンピュータや装置が必要になります。人はいくら自分にとって必要なことだとしても、「○○がないとできない」となると先送りにする癖があります。

その結果、あなたも経験があると思いますが「やらない」という選択をしてしまい、半年後や1年後に後悔することも出てきます。このような状態になってしまっては、せっかくのチャンスを効果的に生かすことができません。

そこで私はAIプログラミングを学ぶ方法として、**一般的な家庭にあるコンピュータでAIプログラミングを体験し理解を深めやすい「画像検出」**を学びのきっかけとして選びました。

画像検出ってなに？

小難しい理論は置いておき、実際に画像検出が使われている場面をお伝えしましょう。

例えば、テレビドラマで登場することも多い**「指紋照合」**、スパイものの映画で見かける**「網膜認証」**、最近は会社の入室管理にも使われている**「顔認証」**や**「静脈認証」**、医療機関でおなじみの**「CT」「MRI」「エコー検査」**、Googleなどが研究している車の**「自動運転」支援システム**が挙げられます。

このように、画像検出は身近なところで使われている技術なのです。

どうやって学ぶの?

このような画像検出を使ったAIプログラミングを学ぶには、**難しい理論や法則からスタートしてはいけません**。理系出身者や理系分野に関心を持つ人ならこういった方法でも可能かもしれませんが、そうでない人が理論や法則からスタートすると、面白さが理解できずがんばっても3ページくらいでやめてしまうことでしょう。

そこで本書では、次のような流れを使って、文系の人でも楽しみながらAIプログラミングを体験してもらえるようなカリキュラムを用意しました。

- **STEP1：AIが得意な「Python」を使ってプログラミングの基礎を知る**
- **STEP2：Pythonを使って画像で遊ぶ**
- **STEP3：画像から人の「顔」を検出してAIプログラミングを体験する**
- **STEP4：話題の「機械学習」の一端を体験する**

画像検出で楽しくAIを使うコツを学べる

4つのSTEPによってあなたは難しい方程式や公式を使わずに、AIを使う側に立つために必要な基礎知識が、体験を通して身につくことでしょう。

特に「画像」を使うことで、視覚的に変化が起こるため楽しく体験できるはずです。

そしてこれは重要なことですが、**楽しくないといくら将来に必要なAIプログラミングでも身につきません**。

そういう意味でも、「画像検出」はAIプログラミングを学ぶために最適な題材だといえます。

1
日目 7/7

あなたも「AIを使う側」に立てる!

AIを使ううえで大事なのは「専門的な知識を身につける」ことではなく「すでに存在する便利なツールを使う」こと!

「理解しなくちゃ使えない」という勘違い

2017年ごろAIという技術が注目されだしたとき、私はこんな勘違いしていました。「ゼロからすべてを理解し、数学の知識がないとAIを使う側には生涯立てないのでは」と。

しかし、身の周りにあること、すでに使っていることを冷静に見てみると、**専門的なことを知らないままでも「使う側」に立てている**ことに気がついたのです。

例えば「車の運転」。趣味や仕事で関わっている人は別ですが、大多数の人は車がどうして動くのか深く理解せずに使っています。どのようにガソリンや電気が利用され、タイヤは回転しているのか。ブレーキを動かすために何が使われているのか……こうしたことを知らない人もたくさんいるでしょう。

また「電子レンジ」は大変便利な家電器具ですが、なぜ「チン」すると温まるのか。その理論を理解したうえで使っている人はほとんどいないはずです。

このように、**何かを使う立場になるといっても、使うものを完全に理解しなくてもいい**のです。ここを勘違いしてはいけません。

天才が作った仕組みを活用する

でも、世の中に溢れている「AI」に関する情報を目にすると、統計学や微分積分、プログラムの深い知識など、すべてを完璧に理解していないと使えないような印象を受けます。

でもそれは、一部の「天才」に求められることです。

例えば、自動車を作る人や電子レンジを作る人には、それぞれの理論や法則、計算式などの深い知識が必要です。

しかし私たちにとっては、彼・彼女たち「天才」が作ってくれた仕組みを使うこと、どのように組み合わせて活用すればいいのかを考えることのほうが重要です。

これは、料理人が電子レンジとオーブンとガスコンロを組み合わせて美味しい料理を作るのと同じです。

残念ながら一部の突出した才能を持つ天才に、私たちが敵うことはできません。だから天才が生み出した仕組みを活用することが重要なのです。

さあ、AIプログラミングを始めよう!

あなたも勘違いしていた部分があったのではないでしょうか。

AIを使うということは、天才たちと肩を並べないとダメだと思っていませんでしたか。肩を並べるべく学ぶことは良いことですが、並べないと「AIを使うことはできない」のではありません。

私たちは、AIが得意なPythonと呼ばれる簡単なプログラミング言語を使い、天才たちが生み出してくれた「AI」のさまざまな機能を活用し、これから「AIを使う側」に立つことを目指さなくてはいけないのです。**電子レンジが使えるのなら、AIでも同じように使う側に立てるのです。**

1日目のまとめ

- ☐ AIの将来性を無視することはできない
- ☐ AIプログラミングに高度な専門知識は不要
- ☐ AIを使うのには「Python」を学習するのがおすすめ

column

1

画像検出以外のAIを無料で楽しもう!

1 りんな

マイクロソフトが開発している会話型AI「りんな」。利用者がメッセージを送ると、その内容に合わせて「会話らしきもの」を作り返します。この「会話らしきもの」という部分がポイントで、利用者が送るメッセージの意図まで理解し返事はしてくれません。定型句についてはパターンを記憶しておけば対応できますが、文脈（会話の流れ）を理解したうえで返事するのはまだまだ難しいようです。

「りんな」公式サイト　http://rinna.jp/

2 Siri

iPhoneをお持ちの人にとってはAIという意識はないかもしれませんが、SiriもAIの1つです。iPhoneのマイクに向けて話した音声が、インターネットを通してAppleへ送られ、音声認識から言葉を取り出して返事をしています。

3 OK Google

Androidに搭載されている機能です。こちらも「OK Google、今日の天気は？」と話しかけることが日常になっていると意識していないかもしれませんが、こちらもAIです。

他にも、アマゾンの「アレクサ」、Windowsに搭載されている「Cortana」などもあります。こうやって見ると画像検出以外のAIも、私たちの生活に入ってきています。

第2章

初めての人でも安心! AIプログラミングの基礎知識

2日目 1/4 AIの基礎の「キ」を学ぼう！

AI、機械学習、深層学習という言葉を見かけることが増えていますが、「やっぱりよくわかんない」。そんなことありませんか？

AIってなに？

AI（Artificial Intelligence）とは、簡単にいうと「コンピュータを使って人間と同じような知能を作ろう!」という技術です。

いまのところ登場しているAIは、人間の器官（目、耳、口、手、足など）を専門的に受け持ち、動作しているものが多いです。

例えばAIの技術の中でも、人が情報の大半を得る「目」に相当する「画像」を扱う分野は「画像認識」と呼ばれ、最近では「くずし字」を認識できるようになったほど進歩しています。

「耳」と「口」の役割といえば、SiriやAlexaが挙げられるでしょう。人が話しかけるのを聞いて調べた結果を話してくれます。

工場では人間の「手」や「足」の代わりをロボットがやってくれています。

このようにAIは、人間がやっていることをコンピュータが代わりにやることで人々の暮らしを楽にする技術だといえます。

AIは何に使われてるの？

前述のとおり、パソコンが普及した頃なら「かな漢字変換」もAIでした。

しかし最近なら、自動でお掃除してくれるロボット、車の自動運転、プロにも負けない将棋やチェスをするシステム、医療分野で病気を探す機能、ビジネスシーンならRPA、株価予測、検品や検査、マーケティングや入退出の管理などでもAIは使われています。

AIと機械学習の関係

AIと機械学習は一緒に出てくることが多いので、ややこしく感じてしまいます。下の図で関係性を整理しましょう。

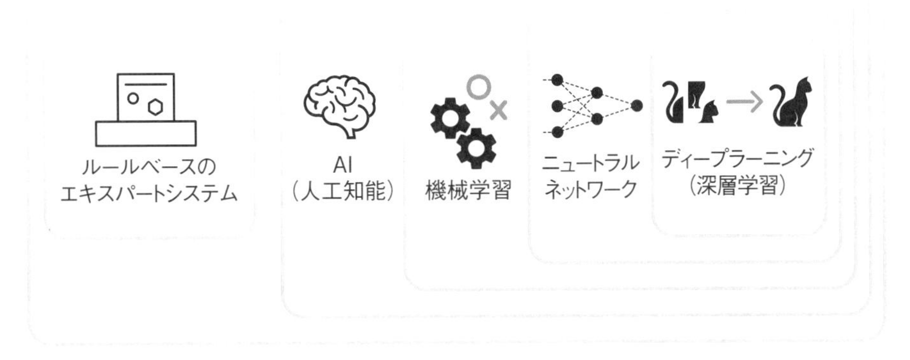

AIが自分で判断するために学習することを**「機械学習」**といいます。機械学習の方法には「ニューラルネットワーク」という人間の神経伝達に似せた技術があります。

そしてニューラルネットワークの技術を使って、より高度な**「ディープラーニング」(深層学習)**を行います。ということは「ディープラーニング」はAIが学習する方法の1つだということです。

また、「エキスパートシステム」というものがあります。これはAIのように学習したことから自分で判断するのではなく、プログラマーによってコンピュータが判断できるように前もって作られたものをいいます。

強いAIと弱いAI

AIは「強いAI」「弱いAI」と表現されることもあります。どう違うのか見てみましょう。

強いAI

国産代表猫型ロボット「ドラえもん」のように、人間と同じレベルでコンピュータが自分で考え・認識し・理解し・判別します。P32の図のレベル5です。まだ実現していません。

弱いAI

限定された用途向けに特化し、あらかじめプログラムされたことの範囲で考え・認識し・判別します。P32の図のレベル1〜4です。

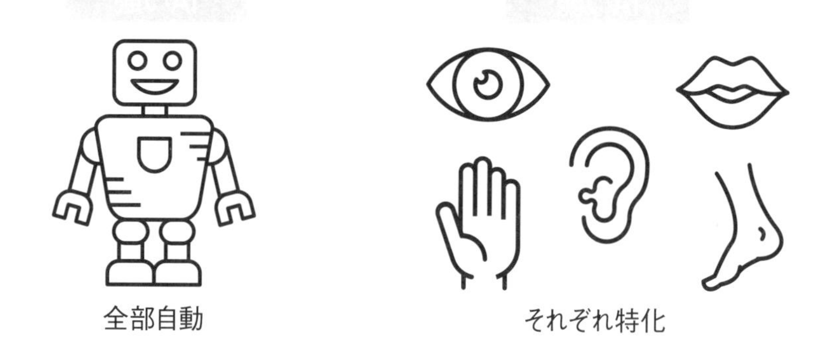

AIの過去と未来

AIの進化には、これまでに三度の波があります。

一度目は、1950〜60年代にAIという言葉や考え方が登場した時代です。ただ、できることが限られていたので衰退。この頃のAIのキーワードは**「論理」**でした。

二度目の波は1980年代。専門家の知識を集めて入力して作った「エキスパートシステム」と呼ばれるAIが登場しました。しかし、必要な情報を大量に集めるのは当時では難しく、時間と労力を使っても期待したように広い分野では活用できず、再び衰退しました。

当時はコンピュータの性能が低く、インターネットも普及しておらず、通信速度も速くありませんでした。

ですから二度目の衰退は、AIを実現する技術や思想が追いついていなかったというよりも、世の中の情報に対する価値や記録方法、扱いやすくするための統一された規格などが整っていなかったことが原因だと感じます。この頃のAIのキーワードは**「知識」**でした。

そして、**2010年頃から始まって現在まで続いているのが三度目の波**。コンピュータの性能は格段にアップ。インターネットも普及し、通信回線の速度も向上しました。世の中の情報がデジタル化されたこともあり、AIの進歩に必要となる環境が整ってきたことが大きな後押しとなっています。

そして古い統計学ではなく「ベイズ統計学」が登場し、上の3つ（コンピュータの性能アップ、インターネットの普及、通信回線の向上）を活用し予測する精度が上がったことも見逃せないポイントです。現在のキーワードは**「学習」**です。

AIブームの今だからこそ考えるべきこと

現在の大きな波の中にいる私たちにとって重要なのは、次のようなことです。

「AIには何ができるのか。そして何ができないのか」

少し視点を変えてみると、次のようにも言えるでしょう。

「私たちはAIに何をさせたいのか。何をさせられるのか」

もしあなたが近い将来AIから仕事を奪われるのを、ただ指をくわえてじっと見ているのではなく、AI活用に興味があり、まだAIを「よくわかんない」と言っている人たちから一歩も二歩も抜け出そうと考えているのなら、ここから始まるAIプログラミング体験は、あなたにとって役立つスキルとなるはずです。

2日目 2/4

話題の「機械学習」とは

AIとセットでよく耳にする「機械学習」。いまひとつピンとこないという方は、ここでざっくり知っておこう!

機械学習が必要な理由

第2次AIブームまでは、人間が細かくルールを設計（プログラミング）することで、AIに“知能がある”ように見せていました。

しかし第3次AIブームでは、**コンピュータ（機械）が自分で学習する仕組み**になっています。そのため機械学習は、今のAIと切り離して考えることはできません。

機械学習ってなに?

私たちは自宅近くの猫も、旅先で出会った猫も「ネコ」とわかります。これは猫の特徴を覚えている（学習している）からできること。同じように**大量のデータからコンピュータがパターンや特徴を見つける仕組みを「機械学習(Machine Learning)」**といいます。

機械学習をすることで、新しい情報が与えられても「“○○%一致”しているので“ネコ”の可能性が高い」と判断できるわけです。

機械学習には2つの方法がある

機械学習は大きく分けると「教師あり」「教師なし」学習があります。

教師あり学習

人間が正解と不正解のデータを機械へ教え、正解の特徴を学ぶ方法。こっちは「猫」、あっちは「犬」などと親が赤ちゃんへ教えるのに似ています。

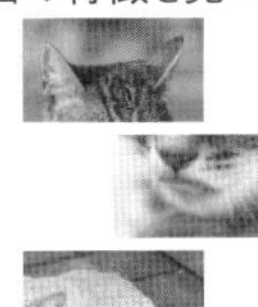

教師なし学習

機械に答えを教えず、機械自ら特徴を探す方法。赤ちゃんが「猫」と「犬」の特徴を見つけてグループ分けし、その結果を大人が「こっちのグループは猫、こっちグループは犬だよ」と後から教えるのに似ています。

ほかにも「強化学習」という機械が自分で問題に対し試行錯誤して学ぶ方法もありますが、まずは「教師あり・なし」を理解しましょう。

なお、機械学習は次のような場面ですでに日常生活に利用されています。

- **スパムメールが届いても受け付けない**
- **誰からかわからないメールを迷惑メールにする**
- **「こんな商品いかがですか?」と欲しそうなもの予測してお知らせ**

2日目 3/4 検索スキルを向上させよう!

情報のスピードに追いつくためには、主体的に調べることが必要!

検索スキルが必要な理由

プログラミングをはじめとする「IT」に関わる情報は、目まぐるしく変化します。半年前にはできなかったことが、今はできるようになることも珍しくありません。さらに2カ月後には使い勝手が向上することもあれば、何かをアップデートしたことで逆に上手く動かないということも起こります。

このようにITに関係する分野は日進月歩で変化するため、携わる私たちも新しい情報をキャッチアップできなければなりません。キャッチアップするためには、**小さな疑問にも主体的に調べる能力**が求められます。

検索スキルとは論理思考のスタートライン

「良い質問からしか良い答えは引き出せない」とビジネス書にはよく書かれています。これはアナログな対人関係だけではなく、デジタルでもまったく同じです。

特にデジタルの場合、「文脈」を100％理解して答えてくれるわけではないので、質問する側が論理的に組み立てて質問することを求められます。「たぶん○○」という質問では適切で役立つ答えが返ってくる可能性は低く、「○○　△△」というように論理的な言葉に変換して質問することが大切なのです。

すばやく検索する方法

できるだけ適切で求めている答えを出してもらうためには、次のような検索をするといいでしょう。

例1：ブルーベリーの育て方を知りたい　→　**ブルーベリー　育て方**
例2：ブルーベリーの剪定について知りたい　→　**ブルーベリー　剪定**
例3：ブルーベリーの追肥のタイミング　→　**ブルーベリー　追肥　時期**

文章で質問するのではなく、いったん質問内容を単語へ分割することで検索の精度をアップすることができます。
では、AIプログラミングだったら、どのような検索になるでしょうか。

例4：AIの歴史を詳しく知りたい　→　**AI　歴史**
例5：機械学習を詳しく知りたい　→　**機械学習　教師あり**
例6：顔の検出を詳しく知りたい　→　**AI　顔　検出　方法**

検索のとき、単語が増えるほど知りたいことに近づけます。可能なら2〜3語を使って検索することをおすすめします。1語だけだと検索結果の範囲が広すぎて調べていることから遠いものもヒットするからです。

検索できると未来も変わる

AIプログラミングだけではなく、これからの暮らしでは主体的に検索することが未来を変えることにつながるでしょう。**情報の多くは公開されており、知っているかどうかは検索するかしないかに関わってきます。**あまり好きな言葉ではありませんが「情報弱者」にならないためには、主体的に検索する意識が欠かせません。

2日目 4/4 「情報のかたまり」と「情報の入れ物」

まずはプログラミングの基礎用語である「ファイル」と「ディレクトリ」について理解しておこう!

AIに限らず、プログラミングでは「ファイル」と「ディレクトリ」を理解せずには前に進めません。本書で学ぶ「Python」はもちろん、Webサイトの開発が得意な「PHP」や「Ruby」、大規模システムが得意な「Java」でも同じです。まだ知らない人は、この機会に覚えましょう。

ファイルとは

プログラミングでは、大きく分けると「プログラム」と「データ」の2つを扱います。これら2つは情報のかたまりです。そして**情報のかたまりを「ファイル」**と呼んでいます。

さらにファイルには「どんな情報が入っているのか」を簡単に判断できるよう**「拡張子（かくちょうし）」というファイルの種類を示す記号**が、ファイルの名前の後ろにくっついています。

下の図の下線部分を「拡張子」と呼びます。

bmi.py
girl01.jpg
haarcascade_frontalface_alt.xml

なお、今回のAIプログラミングで使われる主な拡張子は以下のとおりです。

- Python形式　.py
- XML形式　.xml
- JPEG形式　.jpg　もしくは　.jpeg

ディレクトリとは

「ディレクトリ」は聞き慣れない言葉と思いますが、「フォルダ」ならワードやエクセルを使っている方ならピンとくるでしょう。

もともとフォルダとディレクトリは別の意味がありましたが、今では同じ意味で使うことがほとんどです。ただプログラミングの世界ではこれまでの習慣によって「ディレクトリ」と呼ぶことが多いです。

どちらも「ファイルを入れておくもの」「関係のあるファイルをまとめておく場所」というように覚えておきましょう。

ファイル名とディレクトリ名のルール

プログラミングでは次のような約束事があります。

1 半角英数字の小文字に統一する

・OK → circle、bmicalc
・NG → CIRCLE、bmiCalc

2 全角文字や半角カナは使いません

上手く動かない原因になることがあります。

3 空白(スペース)を入れない

例:bmi calc → bmiとcalcの間に空白が入っているのでNG

4 使えない記号がある

「\」「/」「:」「;」「,」「?」「<」「>」「"」「|」「(」「)」など。半角英数字の小文字に統一しましょう。

5 ファイル名には拡張子が必須

拡張子はファイル名の後ろに「.(ピリオド)」と2〜4文字を追加します。
例：「bmicalc.py」

ディレクトリには2つの種類がある

ディレクトリには、**「カレントディレクトリ」**と**「サブディレクトリ」**の2種類があります。

カレントディレクトリ

英語では「Current Directory」と書きます。「Current」という単語の意味は「今の」です。ということは、カレントディレクトリは「今のディレクトリ」、すなわち、**「今、自分が作業している場所」**を示します。

例えば、エクスプローラーやFinderを使って「ダウンロード」フォルダを表示したとします。

これで「今、自分が作業している場所」を「ダウンロード」フォルダへ移動したことになります。

これをプログラミング的に表現すると、
「ダウンロードフォルダをカレントディレクトリにした」
「カレントディレクトリはダウンロードフォルダだ」
という言い方になります。

サブディレクトリとは

英語では「subdirectory」と書きます。「sub」という単語の意味は「下位」です。ということは、サブディレクトリとは「今の場所よりも下位にあるディレクトリ」と訳せます。

すなわち、「今、自分が作業している場所の下にあるディレクトリ」と解釈できますし、もっと簡単に表現すると**「ディレクトリの中にあるディレクトリ」**と解釈することもできます。

わかりやすく説明すると、ディレクトリとは下の図のような階層構造になっているということです。

```
progai
  cluster
    images
  facefound
    cascade
    images
  letstry
    3章
    4章
    5章
  課題
    2章
    3章
    4章
    5章
```

この図の「progai」や「cluster」「課題」などのフォルダがすべてサブディレクトリです。

そして「progai」に自分が今いるとすると、「progai」がカレントディレクトリ。

「課題」は「カレントディレクトリprogaiのサブディレクトリ」と表現できます。

2日目のまとめ

AIが生活の中でどのように使われているか意識しよう
AIや機械学習という言葉の関係を理解して惑わされないようにしよう
ファイルとディレクトリを理解しよう

3 日目 1/2

AIプログラミング環境を整えよう!

AIプログラミングに必要なのはPCだけ。スタートする前に快適に進めるためにPCの設定をしよう!

「ファイルの拡張子」を見えるようにする

「拡張子」はファイルの種類を見分けるのに便利なのですが、WindowsもMacも最初は隠れて見えないようになっています。そこで「拡張子」をファイル名に表示するための設定をしましょう。

Windows10の場合

エクスプローラーを起動し、上のメニューから「表示」を選ぶと中央付近に「ファイル名拡張子」という項目があります。そこにチェックをつけましょう。

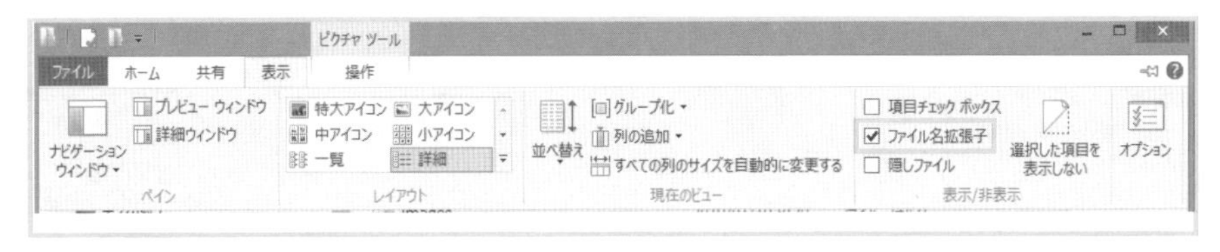

Mac OS10.14.3の場合

Finderのメニューから「環境設定...」を選びます。「Finder環境設定」が表示されますので「詳細」を選び「すべてのファイル名拡張子を表示」にチェックをつけましょう。

作業フォルダを用意する

AIプログラミングを楽しむための場所（フォルダ）を用意します。フォルダはパソコンの中ならどこでもOKですが、本書では次の場所に作ります。

Windowsの場合

エクスプローラーで「ドキュメント」を表示し、ホームメニューから「新しいフォルダ」を選択。ドキュメントの中に「pycvai」というフォルダを作成しましょう。

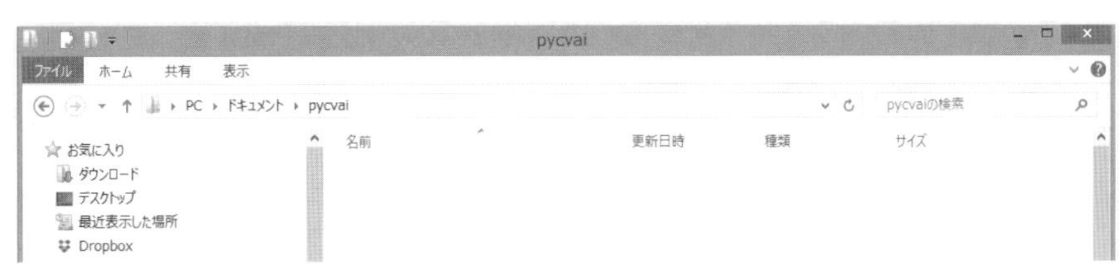

Macの場合

Finderで「書類」を表示し「新規フォルダ」を選択。書類の中に「pycvai」というフォルダを作成しましょう。

テキストエディタの用意

Pythonを使ってAIプログラミングをするとき重要なのが「テキストエディタ」と呼ばれるツールです。

プログラムの中身は文字データの集まりです。これを**「テキストデータ」**と呼びます。これからプログラミングをしていくためには「テキストデータ」を直感的にさわることのできるツールが必要となります。

Point

Windowsなら「メモ帳」、Macなら「テキストエディット」を使おう。最初から入っているツールだからすぐに使えるよ！

人は少しでも面倒なことがあると「やらない」言い訳にしがちです。できるだけ今あるものを使ってスムーズに前へ進んでいきましょう。

応用

あなたがITエンジニアを目指しているのなら、もっと使いやすいツール「ATOM」もおすすめです。

▶ **ATOM公式ページ：https://atom.io**

ATOMは無料のツールなので、誰でも使うことができます。インストールも簡単です。さらにうれしいのは多くのエンジニアが使っているため、インターネットで検索すると簡単にインストール方法や使い方が見つかることです。

インストールの方法や使い方については、あなたの検索スキルを向上させるため、次のキーワードで検索してみてください。そして検索結果から自分が

「わかりやすい」と感じた情報を見つけて選んで参考にしましょう。

Windowsの場合：**「Windows ATOM インストール 方法」**
Macの場合：**「Mac ATOM インストール 方法」**

使い方を知りたいときは、こんなキーワードでも検索できます。

Windowsの場合：**「Windows ATOM Python 使い方」**
Macの場合：**「Mac ATOM Python 使い方」**

「習うより慣れろ」が大切です。「知っているよりやってみた」が大事です。一歩ずつ進んでいきましょう。

その他おすすめ無料ツール

もっとシンプルなテキストエディタを使いたいという人は、次の無料ツールもおすすめです。普段仕事で文章を書くときにも使えます。

Windows用「サクラエディタ」

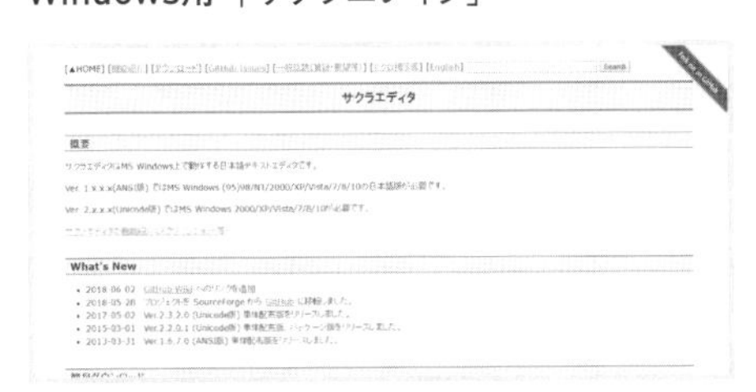

https://sakura-editor.github.io/

Mac用「CotEditor」

https://coteditor.com/

column

2

プログラミング環境でハマりやすいこと

UTF-8には注意点があります

今回のPythonでは問題になりませんが、プログラムを書いたファイルを保存するときに指定する文字コード「UTF-8」には、2種類存在します。

BOM付き

BOMとは「Byte Order Mark」の略です。BOM付きとはテキストエディタで作成したファイルの先頭に「このファイルはUTF-8で作られていますよ」という情報を付加したものです。BOMはテキストエディタで表示しても、コンピュータが理解するための情報なので通常人間には見えません。ただ、BOM付きかどうかを表示してくれる高機能エディタもあります（Windows用の「サクラエディタ」など）。

BOMなし

BOMが付いていないものです。シンプルなテキスト情報です。

BOMが付いていると、Python以外のプログラミング言語を扱うときに問題となります。ファイルにBOMが付いていることで、テキストエディタで書かれた内容（プログラム）をコンピュータが理解できなくなるのです。そうするとプログラムはエラーを出して動かなくなります。

気をつけたいWindowsのメモ帳

Windows10の最新バージョンでは、メモ帳の保存形式に「UTF-8」を指定すると「BOM付き」と「BOMなし」が選べるようになりました。

しかし、少し前のWindowsでは「UTF-8」を選ぶと、常に「BOM付き」になります。

今回はAIプログラミングのためにPythonを学びますので問題ありませんが、今後「PHP」や「Java」などのプログラミング言語を学習するときには、「BOMなし」を選べるテキストエディタ（P50、51で紹介したようなもの）を利用するのがおすすめです。

プログラミングが頓挫する一番の原因

プログラミングをやってみたいと思ってスタートしても、最初の「環境」を作る段階で挫折してしまう人は多いものです。

実はプログラミングする環境（開発環境）は、プロのエンジニアでも簡単に構築できません。ということは、初めての人にとってはハードルが高くて当たり前といえます。

そこで次から説明する「AIプログラミング環境を用意しよう」では、初めての方でも挫折せず進めてもらえるように、ステップバイステップで解説しています。

根気よく丁寧に確認しながら進めてもらうと、プロのエンジニアでも簡単でない開発環境が、あなたのパソコンにできあがるはずです。気持ちを落ち着けて進めてみてください！

3日目 2/2 AIプログラミングの用意をしよう!

ちょっと時間がかかるかもしれないけれど、1つずつ説明するから大丈夫。最初の難関を突破しよう!

ここでは、Pythonを使う便利なツールセットをダウンロードする方法を紹介します。

STEP1 次のウェブサイトを表示しよう!

▶ https://www.anaconda.com/distribution/

※Anaconda公式ページのデザインは変化することがあります。

普段使っているブラウザからアクセスすると、以下のようなページが表示されます。画面中央にある「Download」をクリックしましょう。

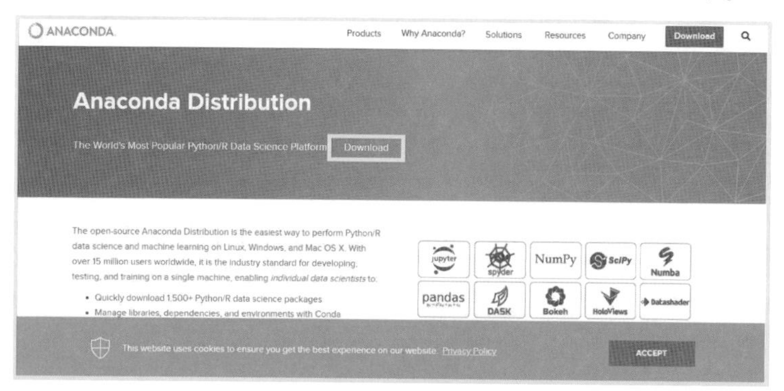

STEP2 パソコンの種類を選ぼう!

画面上部にある「Windows」か「macOS」をクリックします（画像はWindows）。

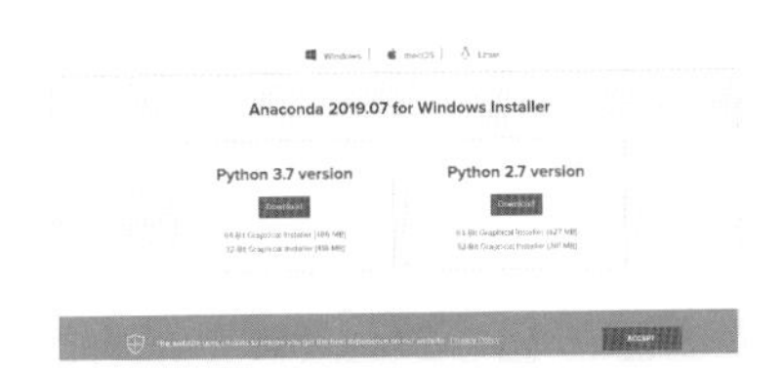

※デザインが変わっている場合は、本書特設ページの「追加情報やQ&A」を参考にしてください。
https://021pt.kyotohibishin.com/books/aipg/knowledge-faq/

STEP3 Pythonの種類を選ぼう!

画面左側の「Python 3.7 version」にある「Download」をクリックします。クリックすると、ツールセットのダウンロードが始まります。大きいファイルのため、ダウンロードに少し時間がかかるかもしれません。

STEP4 ダウンロードしたファイルを確認!

ダウンロード完了の通知が表示されたら、Windowsの人はエクスプローラー、Macの人はFinderで「ダウンロード」フォルダを表示します。保存されたファイルを確認しましょう。

<Windowsの場合>

<Macの場合>

※執筆時点でのダウンロードされたファイル名は以下のとおりです。

Windows用：Anaconda3-2019.07-Windows-x86_64.exe

Mac用：Anaconda3-2019.07-MacOSX-x86_64.pkg

Windowsの方はP60へ進みます。Macの方はP62へ進みます。

STEP5 ツールセットをインストールしよう！

STEP4でダウンロードしたファイルをダブルクリックして実行します。

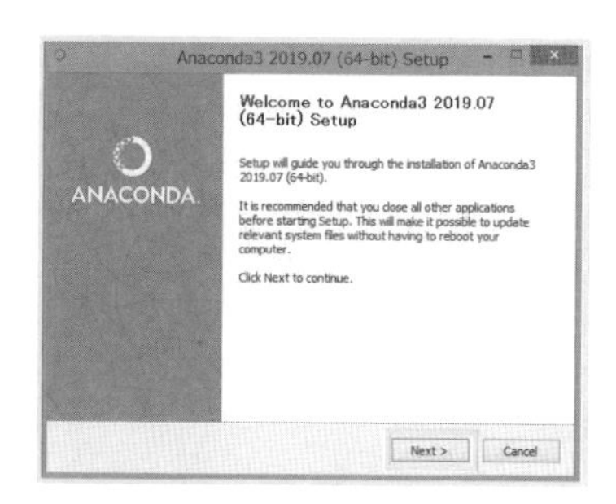

「Next」ボタンをクリックします。

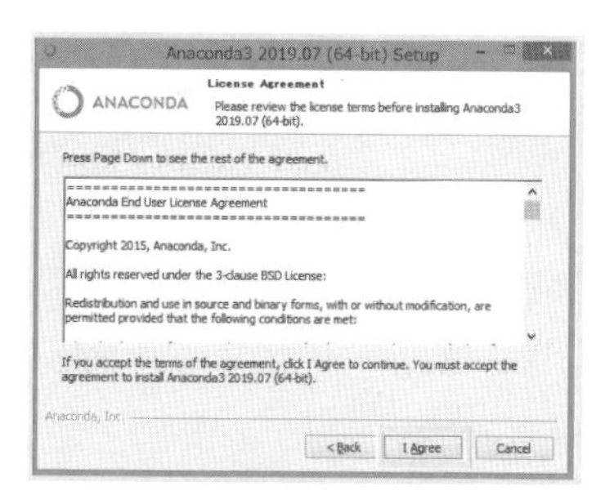

同意書の画面が表示されますので内容を確認したら「I Agree」ボタンをクリックします。

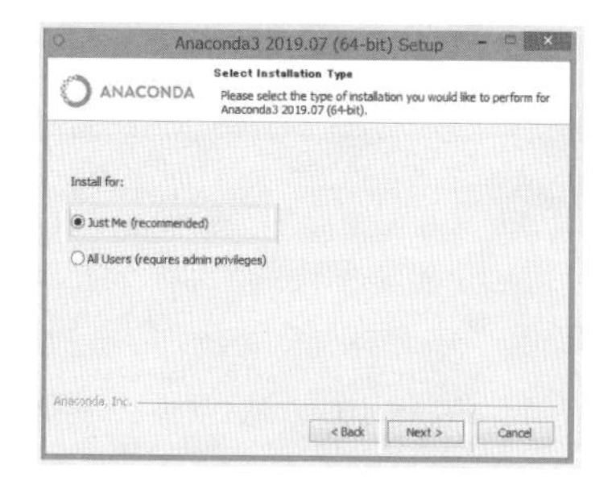

インストール方法を選ぶ画面が表示されます。

「Just Me(recommended)」にチェックが入っていることを確認して「Next」ボタンをクリックします。

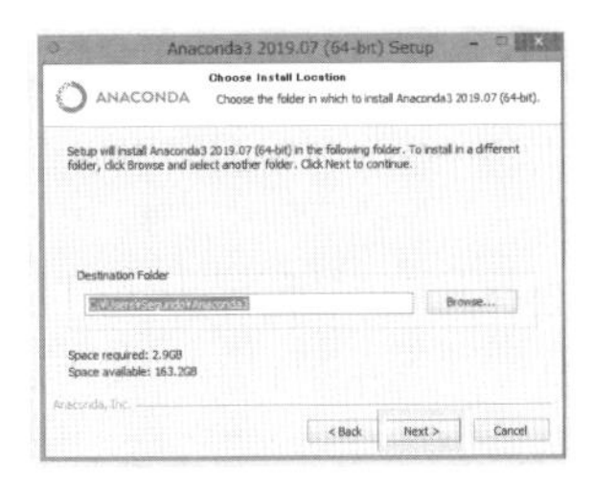

インストール場所を確認されます。表示されている場所に日本語や空白が含まれていない場合はそのまま、含まれている場合は共に含まれていない別の場所を指定し「Next」ボタンをクリックします。

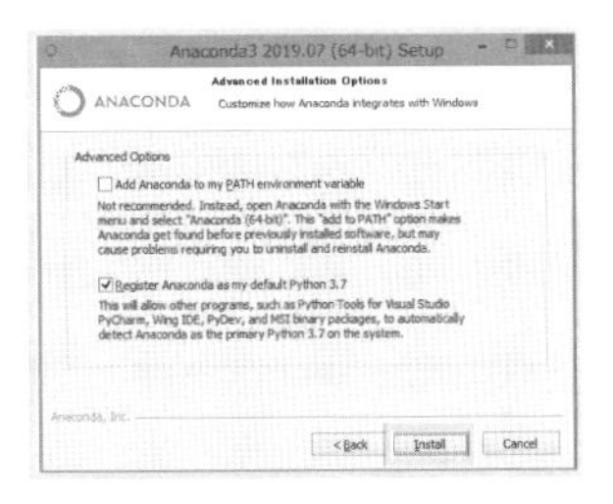

すると難しそうな画面が表示されます。左と同じようにチェックされているか確認できたら「Install」ボタンをクリックします。

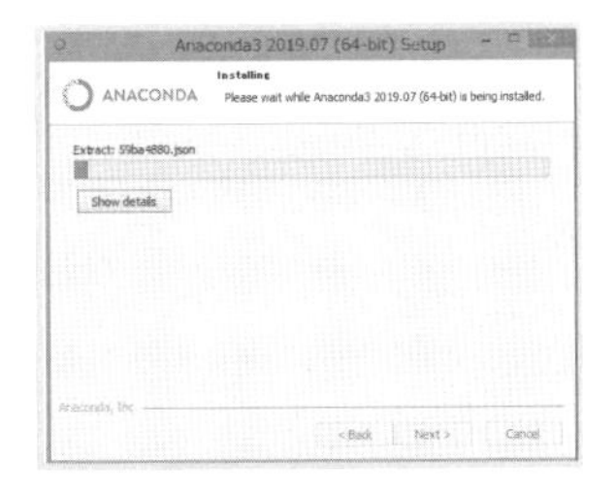

インストールがスタートします。
お使いのパソコンによっては時間がかかります。次の画面が表示されるまでお待ちください。

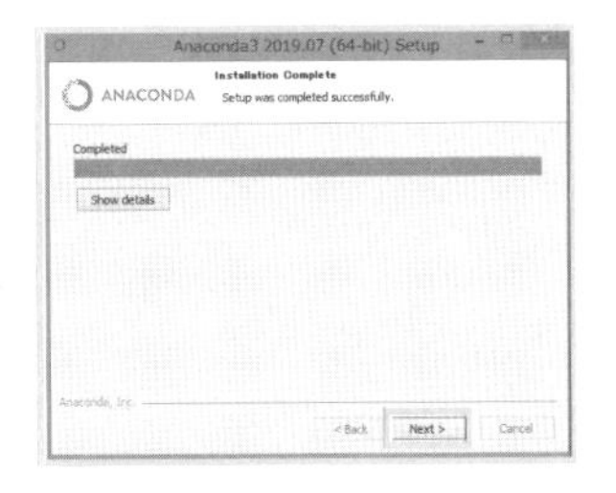

「Completed」と表示されましたら「Next」ボタンをクリックします。

「Next」ボタンをクリックします。

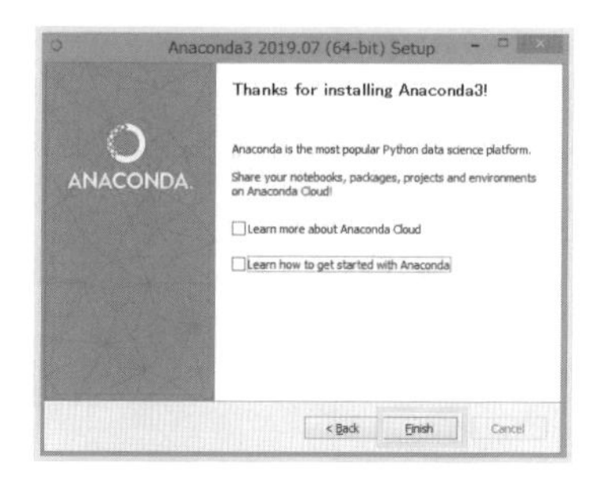

最後の画面が表示されました。

2つのチェックを外してから「Finish」ボタンをクリックすると完了です。

※下のような黒い画面がインストール中にチラチラと表示されることがありますが、トラブルではありません。

スタートメニューから「Anaconda Navigator」を探してクリックします。それでは、P65「ツールセットを起動しよう！」へ進んでください。

Mac専用のインストール手順

STEP5 ツールセットをインストールしよう

STEP4でダウンロードしたファイルをダブルクリックして実行します。

このような表示が出た場合は「続ける」を選びます。環境によっては出ないこともあります。

インストール画面が表示されます。
「続ける」ボタンをクリックします。

大切な情報が表示されます。
内容を確認してから「続ける」ボタンをクリックします。

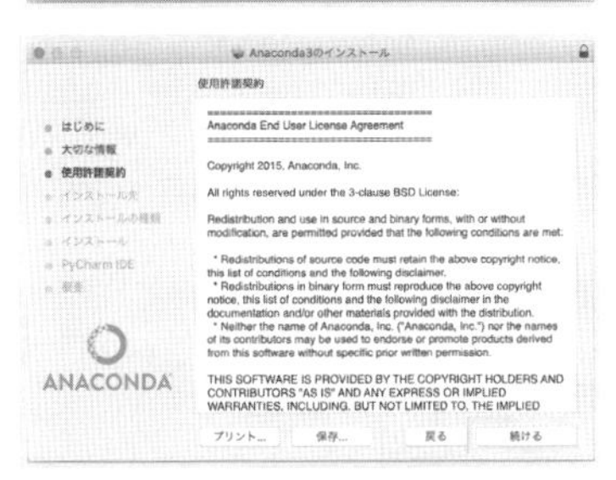

使用許諾契約が表示されます。
内容を確認してから「続ける」ボタンをクリックします。

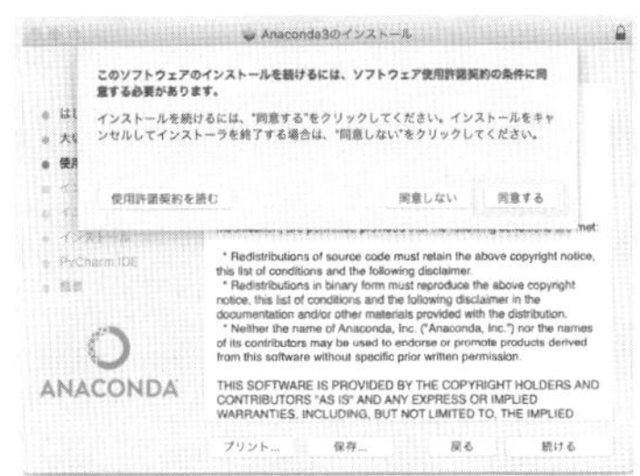

すると、左のような画面が表示されるかもしれません。表示された場合は「同意する」をクリックします。

続いてインストール先の指定画面が出てきた場合は「自分専用にインストール」を選択して「続ける」ボタンをクリックします。この画面は表示されないこともあります。

最後の画面では、そのまま「インストール」をクリックします。そうするとインストールがスタートします。

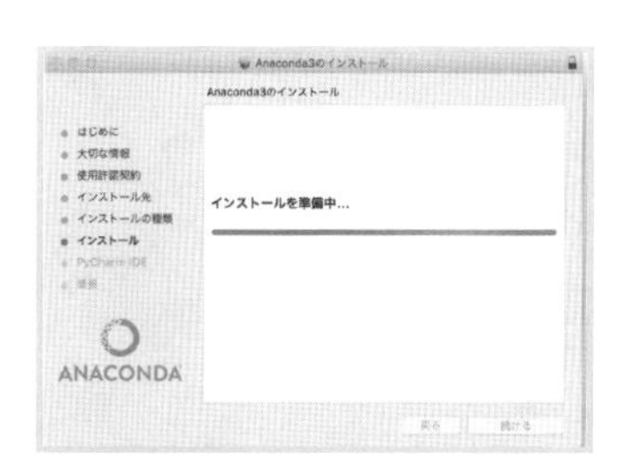

インストールがスタートしました。

お使いのパソコンによっては時間がかかります。下の画面が表示されるまでお待ちください。

「続ける」ボタンをクリックします。

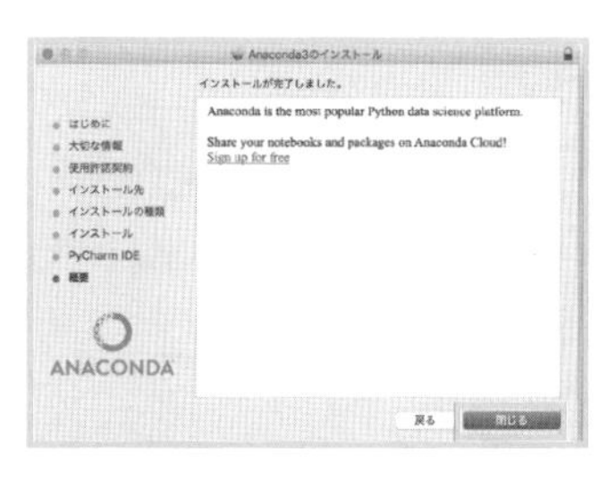

最後の画面が表示されました。

「閉じる」ボタンをクリックすると完了です。

左の画面が表示された場合は「ゴミ箱へ入れる」を選びましょう。

インストールしたツールセットを起動しよう！

スタートボタンやFinderでアプリケーションを表示し「Anaconda Navigator」を探してクリックします。

今回インストールしたPythonを簡単に使えるようにする「全部入り」環境の名前を「Anaconda(アナコンダ)」といいます。

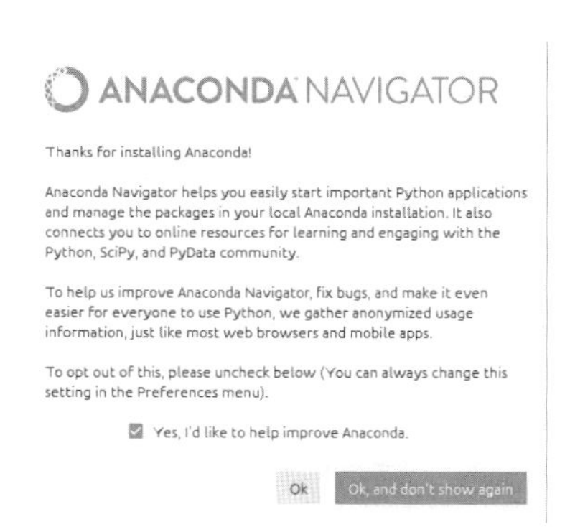

「Anaconda Navigator」を初めて起動すると、以下の確認画面が表示されるはずです。

「Ok,and don't show again」をクリックします。次からこの画面は表示されなくなります。

すると、これからAIプログラミングで頻繁に使う画面が表示されます。

今後、本書で「Anaconda Navigator（アナコンダ・ナビゲーター）」とお伝えした場合は、この画面のことを指しています。覚えておきましょう。

では早速、Anaconda Navigatorの左にある「Environments」をクリックしてみましょう。画面が下のように変わりましたね。

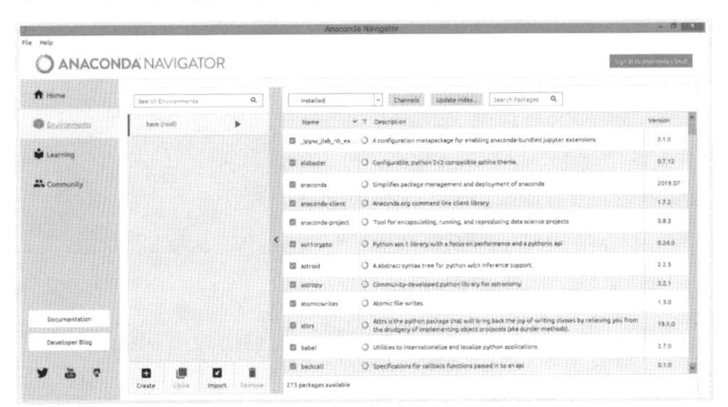

Anaconda NavigatorのEnvironmentsも今後は何度も使います。どの場所をクリックしたのか覚えておきましょう。

Anaconda Navigatorを終了しよう!

Anaconda Navigatorを起動する方法がわかりましたので、終了する方法も覚えておきましょう。Anaconda Navigatorのメニューから、Windowsの方は「File」の中の「Quit」を選びます。

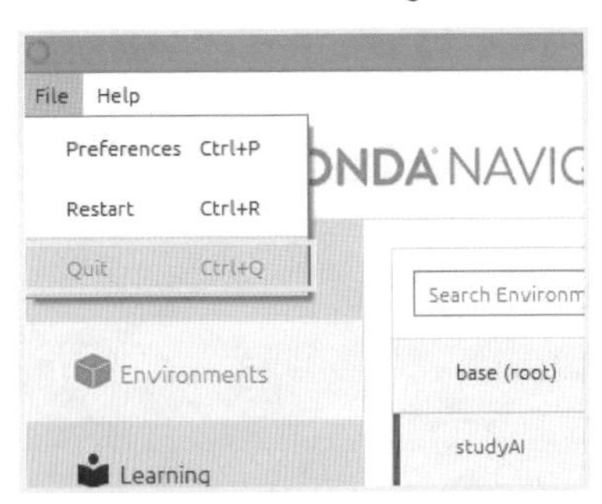

Macの方は「python」の中の「Quit Anaconda-Navigator」を選びます。

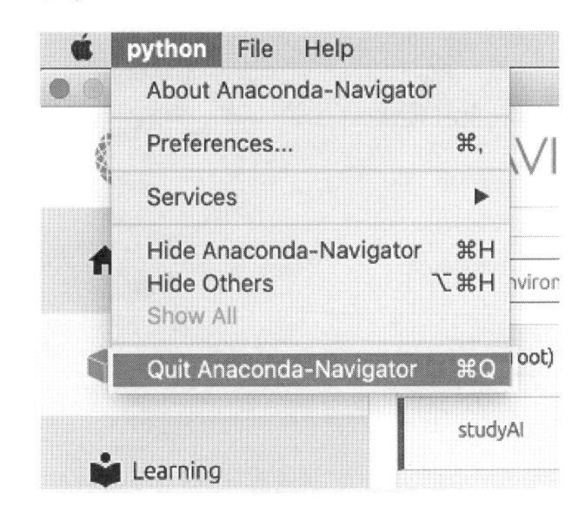

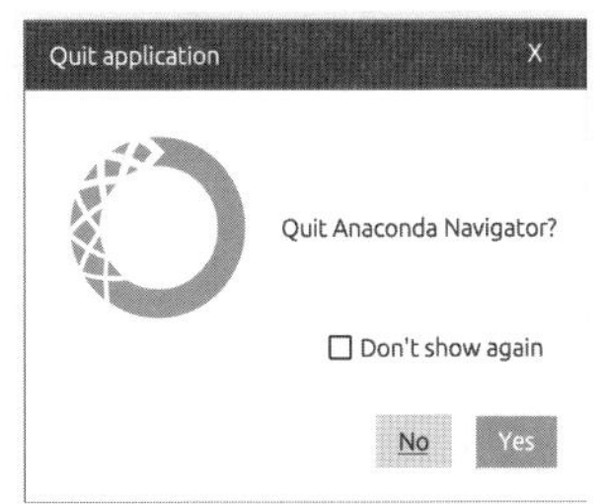

そうすると確認画面が表示されます。「Yes」を選ぶと終了します。

覚えておきたいポイント：

1. Anaconda Navigatorと言われたらどの画面？
2. Anaconda Navigatorを起動する方法
3. Anaconda Navigatorを終了する方法
4. Anaconda Navigatorの「Environments」はどこを選んだ？

今後使うことの多い操作です。しっかり復習しておきましょう。

3日目のまとめ

拡張子は大事！ 表示しておくようにしよう
テキストエディタが使えるようにしておこう
AIプログラミング環境の「起動」「終了」を体験して覚えよう

4日目 1/2 AIプログラミングはシンプルに楽しめる！

AIプログラミングは普段の仕事と同じように取り組めば、誰にでも楽しめます！

やることが明確だと、最短で成長できる

スムーズに仕事が進み、自分でも感心するくらい楽しくできたときを思い出してください。きっと最初に「やりたいこと」「やるべきこと」である「ゴール」が明確になっていたのではないでしょうか。

人はゴールが明確だと、前を向いて進むだけなので仕事もはかどります。
しかしゴールが曖昧だったり、そもそも決まっていなかったりすると、「こんな感じでいいのかな？」「どうやればいいんだろう？」、もっとひどいと「今日は何をしよう？」ということに時間を浪費してしまいがちです。

考えると悩むはまったくの別物です。考えることはゴールに向けての進み方をイメージしていますから役立ちます。
一方、悩むという行為は何もしていないのと同じです。前向きでもなく、ゴールへ向かうでもありません。私たちが絶対に取り返すことのできない、いくらお金を使っても手に入れることのできない貴重な時間を浪費しているに過ぎないのです。
そこで**今回のAIプログラミングでは、悩むことは省きたいと考え、AIでもっとも進歩し実際に使われている「画像検出」をやりたいことに設定**しました。
これでゴールが決まりましたので、あなたは残りの18日間「今日は何をしよう?」と悩む必要はありません。

コードを書いて実体験しよう

ゴールが決まったら、次にやることは手を動かしてプログラミングを行いましょう。

AIに興味がある、プログラミングに興味がある。Pythonに興味がある……どのような動機だったとしても、理解するためには実体験が必要。そのためには**自分の手でキーボードを叩き、コードを書くことが一番の近道**です。

本書を最初から最後まで読み込んでいただくだけでも大変うれしいのですが、「やってみてナンボ」というのが手に職系。面倒だなと思わずに、あなたのパソコンの電源を入れ、キーボードからコードを入力してください。

動かすことで「知ってる」から抜け出せる!

コードを入力したら動かしてみましょう。
「上手く動かないかも?」といった不安は必要ありません。仮に上手く動かなくても誰もあなたを責めません。誰に迷惑をかけることなく、上手く動かない部分を探して修正すればいいだけです。

そして、この繰り返しを通ることで初めて「知っている」から抜け出し「やっている」へ進むことができます。

ご存じのとおり、本物のスキルとは「知っている」ではなく「やっている」こと。知識も必要ですが、知識を実体験に変えることで一歩抜け出せます。

4 日目 2/2

【課題1】サンプルファイルの表示

はじめての課題です！　わからないことがあれば「ヒント」を参照したり、これまで学んだページを見直そう！

課題の内容

下の手順に沿って、正しく表示されるか環境を確認しながら進めましょう！

STEP1 完全版をダウンロードしよう！

ダウンロードページはこちら

▶ https://021pt.kyotohibishin.com/books/aipg/

※完成版のファイルはWindows、Macともに「ダウンロード」というフォルダへ保存されます。保存されたzipファイルをドキュメント（Macの場合は「書類」）フォルダへ移動してください。

※インターネットの通信環境によってダウンロードできないことがあります。その場合はしばらく時間をおいてから試してください。

STEP2 ダウンロードファイルの内容を確認！

ダウンロードしたzipファイルを展開すると「progai」というフォルダができます。フォルダの中には右の4つのフォルダと2つのファイルがあります。

STEP3 作業フォルダを確認!

P53で作成した「作業フォルダ」はできているでしょうか。まだ作成されていない場合は、P53の内容を参考にして作業フォルダを作成してください。

STEP4 サンプルコードの表示を準備しよう!

P65と同じ手順で「Anaconda Navigator」を起動します。

ヒント

不安な場合はP65の手順を読み返しましょう!

起動できたら左端の「Environments」をクリックします。

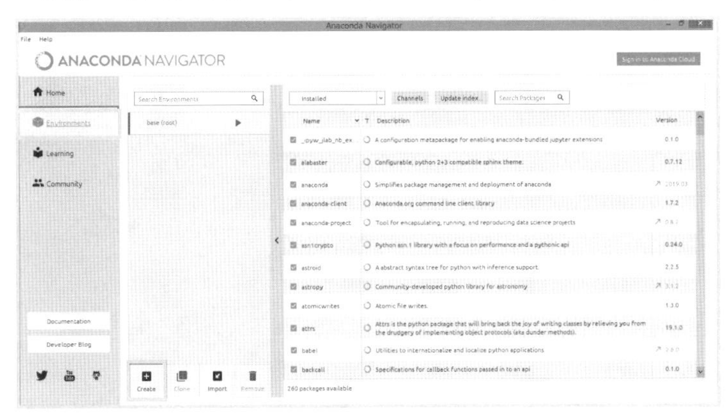

下にある「Create」をクリックします。

すると窓が開きますので「Name」へ「studyAI」と入力、「Python」のリストボックスから「3.7」を選び、窓の右下にある「Create」ボタンをクリックします。

Create new environment
Name: studyAI
Location: C:\Users\Segundo\Anaconda3\envs\studyAI
Packages: Python 3.7
R r
Cancel Create

「studyAI」の左に丸がくるくる回っている間はそのまま待ちます。

左の丸が消えたら、「studyAI」をクリックします。クリックすると左の緑丸が再度表示されることがあります。その場合は消えるまで少し待ちます。

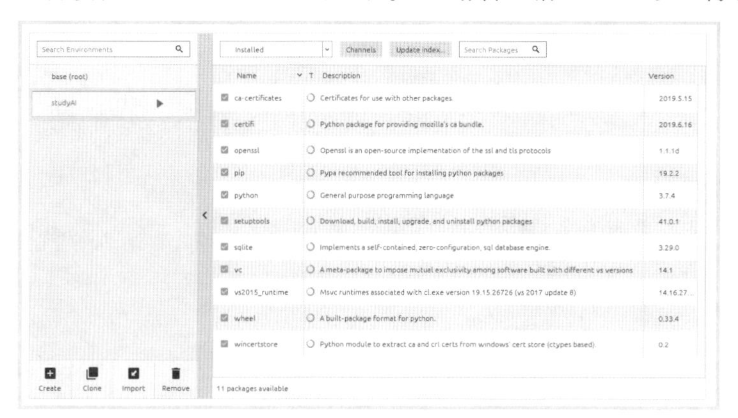

※まれに「studyAI」が作られない場合があります。そういうときは10分くらいそのままにしておいてから、もう一度チャレンジしてみてください。

▶をクリックし表示された「Open Terminal」をクリックします。

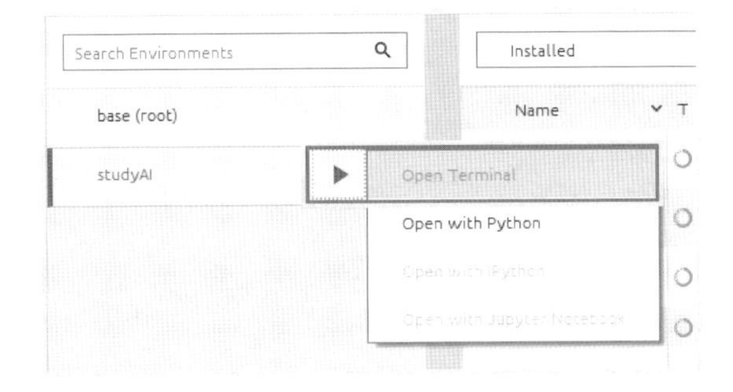

STEP5 「ターミナル」を理解しよう!

作ったAIプログラムを動かす方法について理解しましょう。なじみのない方法だと思いますが、これがプログラムを動かす基本なのです。

Windowsの場合は黒い画面（コマンドプロンプト）、Macの場合は白い画面（ターミナル）を表示し、キーボードから命令を文字で入力することでコンピュータのプログラムが動きます。

Point

黒い画面、白い画面、それぞれ呼び名が違いますが、本書では「ターミナル」で統一します。今後「ターミナル」という言葉が出てきたとき、Windowsは黒い画面、Macは白い画面を思い浮かべてください。

STEP6 「プロンプト」を理解しよう!

ターミナルは常にキーボードからの入力を待っています。この入力を待っている場所（Windowsは「>」、Macは「$」）を「プロンプト」と呼びます。

例えば「プロンプトに英語のAを入力してください」とお伝えした場合、ターミナルにキーボードから「A」を入力する動作を意味しています。

STEP7 サンプルコードを表示しよう!

ターミナルにキーボードから次のように入力します。

```
cd Documents/progai
```

「cd」という命令でカレントディレクトリを「Documents」の中にある「progai」へ移動することができます。「カレントディレクトリ」についてはP50を思い出しましょう。入力できたらEnterキー「⏎」を押し、下のように表示が変化したことを確認します（自分の居場所が変わります）。STEP7が上手くいかない場合は、本書特設ページの「追加情報やQ&A」を参考にしてください。

▶ https://021pt.kyotohibishin.com/books/aipg/knowledge-faq/

▶ **Windowsの場合：下線のように「¥Documents¥progai」が追加されました。**

```
(studyAI) C:¥Users¥■■■■■¥Documents¥progai>
```

▶ **Macの場合：何も変わりませんね。そこでターミナルから「pwd」と入力しEnterキーを押すと、下のように表示されます。**

```
hibishin — a.tool — bash --init-file /dev/fd/63 — 85×24
(studyAI) bash-3.2$ pwd
/Users/hibishin/Documents/progai
(studyAI) bash-3.2$ ▌
```

※それぞれ「Users」の次にある文字は、あなたのアカウント名が表示されますので、本書の内容とは必ず一致しません。

いよいよ動かしてみましょう！ターミナルへキーボードから次のように入力しEnterキーを押します。

```
python first_python.py⏎
```

※「python」と「first_python.py」の間には半角空白を必ず1つ入れます。

```
How are you?
```

答え合わせ

サンプルコードが上のように表示されたら成功です。これで環境が準備できました。明日からいよいよAIの学習をスタートしていきましょう。

うまくいかないときは、ターミナルに入力した内容や自分が書いたプログラムコードを確認しましょう。P70のダウンロードページに、サンプルとして完成版のプログラムファイルがあります。あなたが書いたプログラムと完成版のプログラムを見比べて、どこが違っているのかをチェックしてみましょう！

ターミナルを閉じよう（終了しよう）

ターミナルから以下のように入力し、Enterキーを押します。

```
exit
```

Windowsの場合はターミナルがすぐに閉じます。Macの場合は「プロセスが完了しました」と表示されますので、[command]と「Q」を同時に押してウィンドウを閉じます。

4日目のまとめ

- □ AIプログラミングはゴール設定できれば簡単に楽しめる
- □ 黒い画面、白い画面はこれからも使うので慣れておこう
- □ キーボードからの入力を間違えた場合でも焦らないことが大切！

column

3

「Let's Try」について

これから進めていく中で「Let's Try」が登場します。これは手を動かしながらスキルを獲得するために大変貴重な経験になるでしょう。「Let's Try」が登場したときにもう一度、このページを読み返してください。そのときには簡単に理解できるようになっているはずです。

①「Let's Try」で使う作業フォルダの確認

「Let's Try」で使う作業フォルダが「ドキュメント/pycvai/（Mac：書類/pycvai）」に作成されているか確認します。まだ作成されていない場合は、P53を参考にして作業フォルダを作成してください。

②「Let's Try」のコードを入力する

テキストエディタを起動し「Let's Try」のコードをキーボードで入力します。

③入力が終わったら保存します

入力が終わったら、以下の内容に従って保存します。

- **ファイル名：ページ数.py（例：P85「Let's Try 1」なら、「p085.py」とします）**
- **保存場所：ドキュメント/pycvai/　（Mac：書類/pycvai）**
- **保存形式：utf-8**

④動かしてみてうまくできたか確認します

第3章

AIプログラミングに欠かせない「Python」を身につけよう!

5日目 1/7 AIの動きは、実はシンプル！

プログラムの基本的な動き方を学ぶことで、AIについての理解も深まるよ！

プログラムの基本的な3つの動き方

コンピュータは次の3つの動きを組み合わせて動いています。

(1)順番に処理

命令1:5+10を計算しなさい

命令2:命令1の結果を2で割りなさい

命令3:命令2の結果をゼロで割りなさい

(2)条件を判断

今月は11月?

Yes

命令1:クリスマスの準備をしましょう

No

命令2:来年のハロウィンの準備をしましょう

(3)繰り返し

スクワットの回数は30回以下?

Yes

もう1回スクワットする

No

クールダウンで30秒休憩

プログラムは上図のように3つの動きをします。それぞれ説明しましょう。

1. **処理……プログラム(命令)されたとおりに処理を進めること**
2. **条件を判断……「もし○○だったら△△する」という動き**
3. **繰り返し……「○○になるまで同じことを繰り返す」という動き**

これら3つの動きを組み合わせることでコンピュータは動いています。非常にシンプルですね。

AIもシンプルな仕組みの積み重ねで動く

AIは「人工知能」と訳されるため複雑な印象がありますが、実は前ページの3つの動きを組み合わせているだけです。

つまり、AIといっても現在は**「入ってきた情報を順番に処理し、条件によって何をするのか判断し、必要なだけ繰り返して計算しているだけ」**ということです。

AIがこれまでのプログラムと違うのは、コンピュータの基本的な3つの動きを人が考えてプログラム（命令）するのではなく、機械が自動的に考える（統計を使っています）ことで結果を導き出しているところです。

AIを知るにはPythonが欠かせない

このように、AIを知るには従来のプログラミングの方法を学ぶことがポイントです。

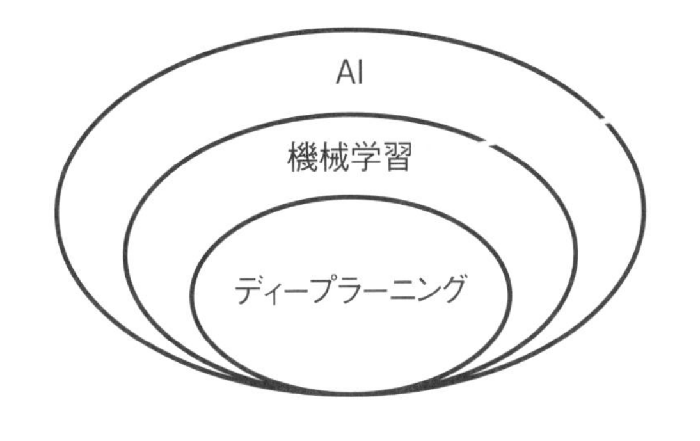

そしてAIを実現している技術、今後AIを使うときの技術として、次ページから詳しく解説する「Python」（パイソン）があります。

5日目 2/7 AIプログラミングで人気のPythonとは

AIブームとともに人気が高まっているプログラミング言語「Python」について簡単に紹介しましょう!

Pythonは1991年生まれ

Pythonは、オランダ出身のエンジニアが1991年に開発を始めたプログラミング言語です。登場した当初はWindows95もありませんし、インターネットも普及していませんでした。そのため、私がPythonを知った当初は正直使い物にならなかったですし、何に使えばいいのかさっぱりわかりませんでした。「他のプログラミング言語で十分」というのが正直な感想でした。

Pythonの特徴

その後、インターネットの普及が後押しする形でPythonの存在感は一気に高まりました。その理由は、次の特徴があるからだと感じています。

- **簡単にプログラムが書けて動かせる**
- **誰がプログラムを書いても同じような出来映えになる**
- **結果、「他人が見ても理解しやすい」プログラムができあがる**

キッズプログラミング教育に使われていることからもわかりますが、Python は非常に敷居の低いプログラミング言語だといえます。

Pythonが使われている分野

このように敷居の低いPython。現在は幅広い分野で使われています。

AI分野
Webアプリケーション開発
教育現場
科学技術計算
最先端技術の開発研究現場

またPythonはWindowsでもMacでも使うことができますので、活用できる範囲が広いといえます。

どうしてAIで人気なのか

Pythonはなぜ AI分野で人気なのでしょうか。その理由には、AIに不可欠である高度な**「数値計算」と「科学計算」**が簡単に使え、充実していることにあります。

世界中の天才たちが苦労して考え、作り出してくれた魔法を私たちは使いたいときに呼び出すだけ。このような環境を簡単に使えるため、AI分野においてPythonの人気は高まっています。

今後はAIが入ってくるビジネスシーンでPythonを使える人の需要が伸びることも予想されるため、学んでおいて損はないといえるでしょう。

5 日目 3/7

第3章で学べること

いきなりPythonを使ってAIプログラミングを始めたいところですが、その前にPythonの基礎部分を学びましょう!

Pythonの基礎的な使い方を学ぶ理由

この章では、AIプログラミングをこれから体験するために必要な「最低限」のPythonの使い方を学んでいきます。

このようにお伝えするとPythonの使い方やプログラミングの方法について解説されている一般的な小難しい専門書をイメージされるかもしれません。

また、単に何に使えるのか意味がわからない計算をやったり、自分たちの生活に関係のなさそうな数字を求めたりすることを思い浮かべる方もいらっしゃるでしょう。

このような内容では誰でも興味を失いますし、早々に「やーめた!」という気分になる人が続出すると思います。

でも、これは当然のことです。面白味や現実味がないのですから興味を持つことは大変難いです。

そこで本書ではできるだけPythonの基本的な使い方を学んでいく方法として、

- **Let's Tryでは、カラダの健康状態を測るときに使われる「BMI」**
- **課題では、どこの家庭にでもある「キッチンの最適な高さ」**

この2つを導き出すプログラミングの仕組みを例に使い、楽しみながら、また、新しい雑学の1つとして身につけながら進められるように考えました。

この章で学んだことはどこで生かされるの?

この章で学ぶことは、AIプログラミング全体に使えることですが、より具体的に「どこで使われるのか」というと、

- **自分が表示したい画像を表示するとき**
- **自分が表示した画像から顔を検出するとき**
- **話題の機械学習を自分で動かして体験するとき**

このようなときに、この章で学んだことが生かされてくるでしょう。

そして、これまで雑誌やインターネットで見て知っているだけでしかなかったことが、今回の学習に取り組み、最後まで進んでいただくことで借り物の知識ではなく、あなた自身が実際に「やった」「できた」「動かした」という、本物の体験に変化するはずです。

さらに、「BMI」や「キッチンの高さ」を導き出すプログラミングを行うことで、計算する方法や条件によって動きを変える方法のからくりが理解できるはずです。普段仕事で使うことが多いけれど苦手意識を持っている方も多いマイクロソフトのエクセルの「関数」や「マクロ」を自分で扱うきっかけにもなるでしょう。

5日目 4/7 まずは「あいさつ」から始めよう！

どんなことも始まりには礼儀が大切です。まずはPythonへあいさつしましょう！

では、実際にPythonでプログラミングし、指示どおりに動かしてみましょう。

指示どおり動かすためにキーボードから入力する文字の情報を**「コード」**といいます。これは「プログラム」とほぼ同じ意味です。

IT業界の現場では「プログラムを書く＝コードを書く」「プログラムを読む＝コードを読む」という意味で使われています。

コードを書くときの「4つのルール」

Pythonのコードを書くときには4つのルールがあります。

1. **「大文字と小文字」に注意しましょう。1文字違うと動きません。**
2. **日本語を使う部分以外は、すべて「半角文字」を使うと考えてください。**
3. **日本語を使う部分以外の「空白もすべて半角空白」を使います。**
4. **「1つの命令は、1行ずつ改行」して書きましょう。**

画面に表示する命令を使う理由

Pythonを使ってコンピュータの画面に「あいさつ」を表示します。

なぜ、コンピュータの画面に表示することが必要なのでしょう。それは、「特別な装置で伝えてね」と指示されていない場合、コンピュータは仕事の結果を画面に表示するからです（音の場合もあります）。また、正しく動くのか確認するため、最初に行うのが「あいさつ」なのです。

表示する方法

print(表示したい値)

これで数字や文字を出力することができます。文字の場合は「'(シングルクォート)」で値を囲みます。数字の場合はそのままでOKです。

Let's Try 1 「Pythonにあいさつ」をしよう!

STEP1：P73を参考にして「studyAI」の「Open Terminal」を選びます。
STEP2：ターミナルのプロンプトから「python」と入力し、Enterキーを押します。
STEP3：「>>>」が表示されキーボードからPythonの命令が入力されるのを待っています。「>>>」の後ろに「print('こんにちはパイソン')」と入力します。

```
>>> print('こんにちはパイソン')
```

※文字なので「'(シングルクォート)」に注意しよう!

STEP4：Enterキーを押すと結果が画面に表示されます。

```
こんにちはパイソン
```

※表示されない場合は、STEP3からもう一度やってみよう!

STEP5：「>>>」の後ろに「exit()」と入力し、Enterキーを押します。

```
>>> exit()
```

これで、Pythonが動く環境が整いました。

5日目 5/7 健康状態を計算してもらおう!

Pythonは計算が得意です。試しにあなたの健康状態を計算してもらいましょう。

拙著『文系でもプログラミング副業で月10万円稼ぐ!』でも登場したBMI値をPythonで計算してみましょう。BMIとは、身長と体重から計算した結果によって肥満度を知ることができる計算式です。ヨガやパーソナルトレーニングに興味のある方、介護や介助のお仕事の方、お年寄りの栄養管理に関心のある方が活用されています。

計算が大切な理由

プログラミングでは、必ず計算が登場します。というのもコンピュータはそもそも「計算機」ですから、計算させることは当たり前なんですね。また、この先の章で学ぶAIについても計算は必須ですので、ここで四則演算の方法を理解しておきましょう。

小学校の算数を思い出して四則演算の方法を知ろう!

Pythonでは次のようにして四則演算ができます。

演算方法	記号	例	答え
足し算(加算)	+	2+3	5
引き算(減算)	-	5-4	1
かけ算(乗算)	*	5*4	20
わり算(除算)	/	5/2	2.5

Point

かけ算は「×」ではなく「*(アスタリスク)」。わり算は「÷」ではなく「/(スラッシュ)」。エクセルで計算するときと同じだよ。

四則演算以外にも次の3つの計算ができます。

演算方法	記号	例	答え
わり算して小数点以下を切り捨てる	//	5//2	2
わり算したときの余りを求める	%	5%2	1
同じ数をかけ算する(べき乗)	**	5**3	125

関数電卓に馴染みのある方は得意かもしれません。

Let's Try 2 「BMI値で健康状態」を確認!

STEP1:あなたの身長(m)と体重(kg)をメモします。

STEP2:ターミナルのプロンプトから「python」と入力しEnterキーを押します。ターミナルが表示されていない場合はP85を参考にしましょう。

STEP3:「>>>」の後ろにSTEP1の内容を下の計算式に当てはめて入力します。

BMI値を求める計算式 = 体重[kg] ÷ (身長[m] × 身長[m])

STEP4: Enterキーを押すと結果が画面に表示されます(2通りの計算方法があります)。

<入力と表示された結果>

```
>>> 70 / (1.7 * 1.7)
24.221453287197235
```

```
>>> 70 / 1.7 ** 2
24.221453287197235
```

※表示されない場合は、STEP3からもう一度やってみよう!

STEP5:結果が18.5～25未満なら普通体重。25以上の人は健康診断を受けて医師に相談しましょう。健康第一ですよ!

STEP6:「>>>」の後ろに exit() と入力しEnterキーを押します。

5
日目
6/7

ファイルに保存しよう！

BMIを繰り返し使えるようにするため、保存しておきましょう！

ファイルに保存する理由

毎回同じことを入力するのは面倒ですし、ミスが起こる可能性もあります。仕事でワードの文書を保存するように、プログラムも保存することで何度でも簡単に使えるようになります。

ファイルへ保存する方法

プログラムをファイルに保存するためには、「テキストエディタ」と呼ばれる文字入力編集ツールを使います。テキストエディタの種類はさまざまですが、今回はP54で紹介したWindowsなら「メモ帳」、Macなら「テキストエディット」を使います。

Let's Try 3 「ファイル保存」をしてみよう！

テキストエディタを起動しましょう。起動できたら次のコードをキーボードから入力します。

```
1    print(70 / (1.7 * 1.7))
```

入力が終わったら、ファイル名や保存場所、形式を以下の内容に従って保存します。

ファイル名：p089.py
保存場所：ドキュメント/pycvai/　(Mac：書類/pycvai)
保存形式(文字コード)：utf-8

今後登場する課題やLet's Tryも同じ方法でコードを入力し保存していきます。

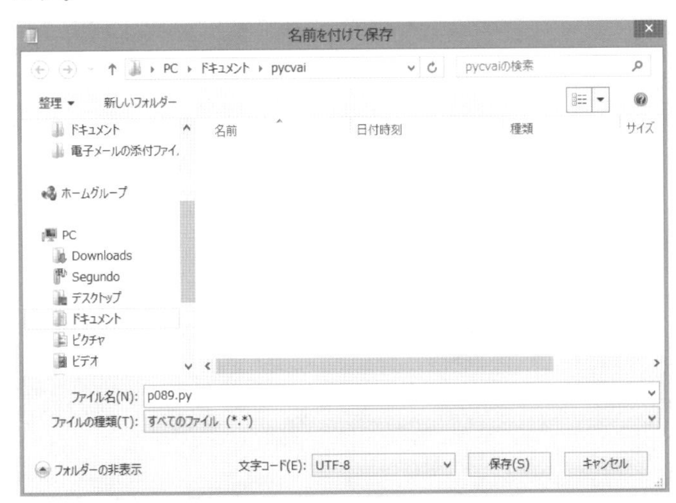

Point

保存形式(文字コード)に「UTF-8」を指定することを忘れないように！
ファイル名の拡張子「.py」を忘れないように！
Let's Tryで保存するファイル名はP76を参照ください。
課題は保存するファイル名を都度お知らせします。

WindowsはエクスプローラーMacはFinderで保存した場所を見るとファイルが保存されたことがわかります。

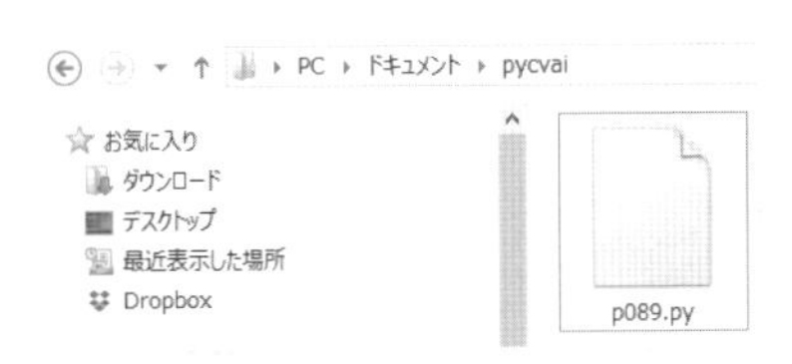

※画面はWindowsです。

5
日目 7/7

保存したプログラムを動かそう!

繰り返し使うために、保存したプログラムを動かしてみましょう。

さて、このままでは「あなたのBMI値」が計算されません。体重と身長をP87のLet's Try 2で用意した内容に変更しましょう。
「print(70 / (1.7 * 1.7))」の70をあなたの体重、1.7をあなたの身長に変更できたら保存します。これであなたのBMI値を計算できるようになりました。

ファイルを動かす方法

```
python ファイル名
```

Let's Try 4 「保存したファイル」を動かそう!

保存されたファイルを動かすためには、Anaconda Navigatorから「Environments」をクリックし「studyAI」を選びます。「studyAI」の右側にある三角をクリックし、現れたメニューから「Open Terminal」をクリックします。P73と同じですね。ここからファイルを保存した場所へ移動します。ターミナルへキーボードから次のように入力します。

```
cd Documents/pycvai
```

入力できたらEnterキーを押します。すると次のようになります。

```
(studyAI) C:¥Users¥■■ ■■¥Documents¥pycvai>
```

※画面はWindowsです。Macの場合は「pwd」で確認します。

ファイルを保存した場所へ移動できました。「cd」（Change Directoryの略）という命令を使うことで、場所（ディレクトリ）を移動（チェンジ）したのです。

移動ができれば後は簡単。P84で「あいさつ」を表示したのに似た方法を使います。次のようにターミナルへキーボードから入力します。

今回は1つ前のLet's Try 3で保存したファイルを動かしますので

```
python p089.py
```

と入力します。入力できたらEnterキーを押します。

```
(studyAI) C:¥Users¥■ ■■ ¥Documents¥pycvai>python p089.py
24.221453287197235
```

※画面はWindowsです。計算結果は身長と体重によって変わります。

「No such file or directory」と表示された場合、ファイルを保存した場所へ移動できているか、動かそうしているファイル名が正しいかチェックします。

ここでいったんPythonを動かす環境を終了します。P75で紹介した方法でターミナルを閉じましょう。また、「Anaconda Navigator」もP66を参考にして終了します。テキストエディタも終了しておきましょう。

5日目のまとめ

アルゴリズム3つの基本を理解しよう
ファイルに保存しターミナルからプログラムが動く方法を覚えよう

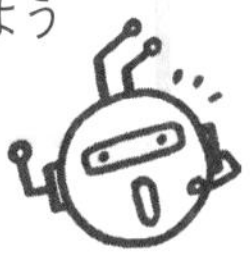

6日目 1/3 わかりやすい内容で書こう!

入力したコードを後から見ると、何を意味しているのかわからないことがあります。人にやさしいコードを書くよう心がけましょう!

内容をわかりやすく書く理由

前回のように、計算に使う「値」が直接指定されてもプログラムは正しく計算してくれます。プログラムにとっては直接指定されたほうが得意だったりします。しかし、人の視点で考えると直接指定された「値」が何なのか、時間が経つと忘れてしまうもの。BMI計算のように簡単な内容なら覚えているかもしれませんが、複雑な計算だったら、コードを書いて3カ月後「何だったかな?」と自分でもわからなくなります。

「定数」とは?

プログラムには「定数」というものがあります。「ていすう」または「じょうすう」と読みます。私は「ていすう」と読むことが多いです。英語では「constant(コンスタント)」という単語が当てはまります。

定数はプログラムの最初に決めた値は、プログラムの最後まで変更することができません。だから「定まった数」と書くのです。

値に名前を付けると人にやさしくなる

定数は「値」に名前を付けることができます。名前があると人がパッと見たとき値の意味を理解しやすくなります。これなら忘れていても簡単に思い出せます。

定数を指定する方法

定数名 = 値

定数名にはアルファベットの大文字を使います。これはプログラミング世界での「お約束」になっています。大文字を見かけたら「定数」と考えて間違いありません。

Let's Try 5 「定数を使ってBMI値を計算」してみよう!

テキストエディタからP87の体重と身長を下のように定数を使って入力し、P88と同じ手順でファイルに保存したら動かして結果を見ましょう。

<定数を使ったPythonコード>

```
1 MY_HEIGHT = 1.7
2 MY_WEIGHT = 70
3 print(MY_WEIGHT / (MY_HEIGHT * MY_HEIGHT))
```

<動かして（実行して）計算した結果>

```
24.221453287197235
```

※計算結果は、あなたの体重と身長によって変わります。

Point

実はPythonには定数がありません。7日目にお話する「変数」を大文字で書き「定数」として使っています。Pythonでは定数という考え方の習慣が残っているだけなのです。

6
日目
2/3

さらにわかりやすい対策をしよう！

定数を使うことで、時間が経ったときにもわかるようにしました。でも、もっとわかりやすく、人にやさしくできないでしょうか？

自分にも他人にもやさしくする

定数を使うだけでも値だけのときよりはわかりやすくなります。でも、もっとわかりやすくする方法はないのでしょうか。

自分にも他人にも、母国語を使って値が意味していることを文章として表現できれば、さらにわかりやすくなるはずです。

「コメント」を使おう！

プログラムには「コメント」と呼ばれる便利な機能があります。コメントはプログラムの動きには関係ありません。ルールに従って書けばコードの内容を文章として表現でき、誰が見ても大変わかりやすくなります。

小さなプログラムの場合、コメントの効果はあまり実感できません。

しかし今回のゴールである「画像検出」や「機械学習」で作るプログラムのボリュームなら、コメントが書かれていないと「何をやっているのか」さっぱりわからないことが続出します。

コメントは初心者ほど書かない人が多いものです。上級者になるほど、これまでの経験から、きちんと書く人が増えてきます。

「コメントを書かないと落ち着かない」となれば、初心者を脱却したと思っていいでしょう。

コメントの使い方

#コメント文

行頭の「#」がコメントを意味しています。「#」の後ろに伝えたいメッセージを書きます。

Let's Try 6 「コメントを使ってわかりやすく」してみよう！

P93の定数と計算式にコメントを書き込みます。コメントが書けたらファイルに保存し動かして結果を見ましょう。

<コメントを使ったPythonコード>

```
1  MY_HEIGHT = 1.7 #身長[m]
2  MY_WEIGHT = 70 #体重[kg]

3  #BMI=体重[kg]÷(身長[m]×身長[m])
4  print(MY_WEIGHT / (MY_HEIGHT * MY_HEIGHT))
```

<計算した結果>

```
24.221453287197235
```

※計算結果は体重と身長によって変わります。

いかがでしょうか。コメントを書いたほうがわかりやすいですよね。
自分にも他人にもやさしい対応。それがコメントです。

6日目 3/3 【課題2】キッチンの最適な高さを計算しよう！

2回目の課題です！ わからないことがあれば、「ヒント」を参考にしたり、これまで学んだページを見直したりしよう！

課題の内容

次の手順に従って、毎日使うキッチンの最適な高さを計算しましょう。

STEP1 計算式を知ろう！

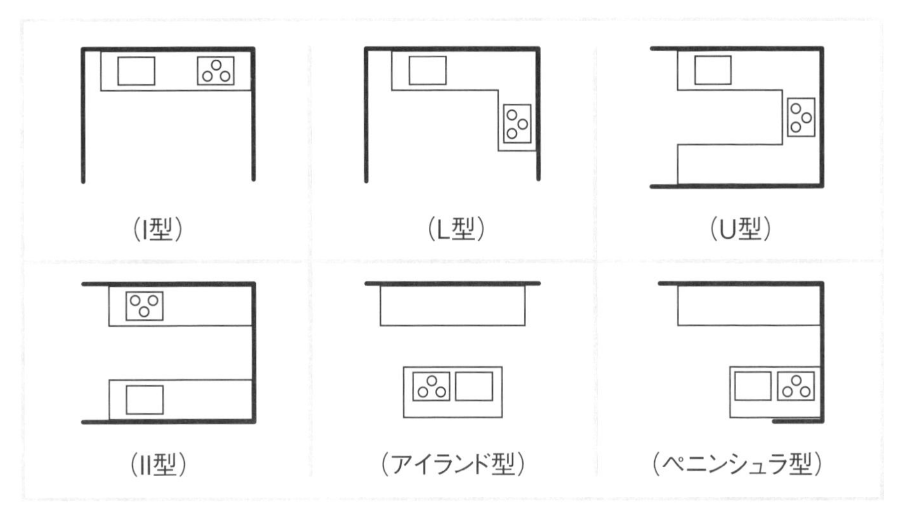

キッチンには、上のような型があります。

使い勝手や間取りに合わせて型を選びますが、型よりも大事なことがあります。

それはキッチンの高さです。

キッチンの高さが低いと、前屈みになるので「腰痛」に、高いと腕を上げながら調理をするので「肩こり」になります。

カウンターが低すぎる

肩がこる…

カウンターが高すぎる

カウンターの高さが丁度いい

そこでリフォーム業界で知られている式を使って、あなたに最適なキッチンの高さを求めることができます。

キッチンの高さの目安計算〔その1〕

キッチンの高さ=身長(cm)÷2+5(cm)

キッチンの高さの目安計算〔その2〕

キッチンの高さ=床から肘までの高さ(cm)−10(cm)

※肘までの高さは、おおよそ「身長（cm）－60(cm)」といわれています。

STEP2 準備をしよう!

テキストエディタを起動したら、まずは定数を使ってあなたの身長を入力しましょう（本書では、160cmとしています）

```
1  #あなたの身長は?(単位cm)
2  HEIGHT = 160
```

入力を終えたらいったん保存します。

保存先の情報は以下のとおりです。

- ファイル名：kitchen_height_calc.py
- 保存場所：ドキュメント/pycvai/　(Mac：書類/pycvai)
- 保存形式(文字コード)：utf-8

※保存の仕方に不安があるときは、P88を復習してみましょう。

STEP3 計算(その1)のコメントと計算式を入力しよう!

```
3  #キッチンの高さの目安計算(その1)
4  #キッチンの高さ=身長[cm]÷2+5cm
5  print(HEIGHT / 2 + 5)
```

STEP4 計算結果を見やすくするために区切り線も入れよう!

```
6  print('-----')
```

STEP5 計算(その2)のコメントを入力しよう!

```
7  #キッチンの高さの目安計算(その2)
8  #キッチンの高さ=肘高cm−10cm
9  #肘高はおおよそ「身長[cm]−60cm」と言われています。
```

STEP6 計算(その2)の式と結果の表示、区切り線を入力しよう!

```
10  print(HEIGHT - 60 - 10)
11  print('-----')
```

ここまでできれば保存します。

保存したファイル「kitchen_height_calc.py」をエクスプローラー(MacはFinder)で見つけます。

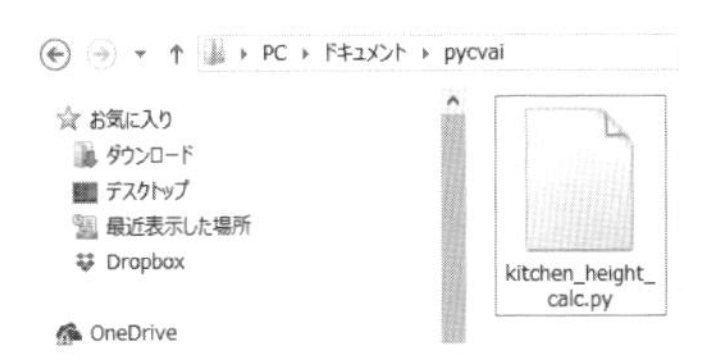

※画面はWindowsです。

STEP7 ターミナルから動かそう!

ヒント

動かす前には、以下の項目をいつも確認しましょう。

1 P90と同じ手順でターミナルが表示できているかチェック!

2 プロンプトから自分がいる場所(カレントディレクトリ)をチェック!
Windowsはプロンプトの左部分を見るとわかる!
Macは「pwd」とプロンプトで入力するとわかる!

3 自分の居場所が、ファイルの保存場所でない場合は、P90と同じ手順でファイルの保存場所へ移動!

4 どうしてもファイルを保存した場所へ移動できない場合は、一度ターミナルを終了(P75参照)し、1 からもう一度始めましょう。

動かす前のチェックがすべて終わったら、ターミナルへ下の命令（コマンド）をキーボードから入力します。

```
python kitchen_height_calc.py
```

入力できたらEnterキーを押します。

答え合わせ

計算結果が以下のように表示されたら成功です。

```
(studyAI) C:¥Users¥Segundo¥Documents¥pycvai>python kitchen_height_calc.py
85.0
-----
90
-----
```

※画面はWindowsのターミナルです。

結果が2つ表示されない場合は、テキストエディタから入力した内容を「間違い探し」で楽しむようにゆっくり見ていくと必ず違いを発見できます。

6日目のまとめ

- □ アルファベットの大文字には意味がある
- □ コメントは「やさしさ」
- □ 人は忘れる生き物なのでコメントを入れておこう

課題2の正解コード

```
1   #あなたの身長は?(単位cm)
2   HEIGHT = 160
3
4   #キッチンの高さの目安計算(その1)
5   #キッチンの高さ=身長[cm]÷2+5cm
6   print(HEIGHT / 2 + 5)
7   print('-----')
8
9   #キッチンの高さの目安計算(その2)
10  #キッチンの高さ=肘高cm−10cm
11  #肘高はおおよそ「身長[cm]−60cm」と言われています。
12  print(HEIGHT - 60 - 10)
13  print('-----')
```

7日目 1/5 初心者を脱出するための「変数」とは

文系出身者やプログラミング初心者が「大嫌い!」と叫ぶ変数。ゆっくり読み進めれば初心者脱出も可能です!

「給与明細書」を使って考えてみよう!

2019年11月分　　**給与明細書**　　社員番号:343146
氏名:日比野新

勤怠	労働日数	勤務日数	残業日数	残業時間		
	22	22	6	5.5		

支給	基本給	職務手当	通勤手当	時間外手当	家族手当	資格手当	総支給額
	200,000	10,000	10,850	8,690			229,540

これはある会社に勤める正社員（給与形態が月給制）の給与明細書の一部です。話をわかりやすくするため「控除項目」については無視しています。

給与で気になる支給欄には、大きく分けて2つの金額があります。

1. **毎月支払額が決まっているお金**
2. **毎月支払額が決まっていないお金**

上の支給欄における「基本給」と「職務手当」は、次回の給与査定がやってくるまで変わりません。ここがコロコロ変わると困りますよね。

対して「時間外手当」はというと、その月の残業時間によって変わります。ここが毎月同じというのは別の意味で困りものです。

基本給や職務手当は常に同じ金額なので、P92でお話した「定数」だといっていいでしょう。一方の時間外手当は、常に変化する金額なので「変数」だといえます。

本題とは関係ありませんが、同じ総支給額の同僚がいたとしても、定数部分の金額が多い人は、収入が安定し暮らしにもゆとりが生まれます。

しかし変数部分の金額が多い場合、見た目の総額は同じでも収入の安定が保証されていません。暮らしという意味では定数部分を増やしたいですね。

変数には名前と内容がある

この場合「時間外手当」というのが変数の名前です。そして時間外手当の金額が内容です。ここで**「時間外手当」という名前を持った箱へ残業代を入れるところ**をイメージしてください。

時間外手当という箱の名前で、毎月の給与明細書にありますが、内容の残業代は毎月変化します。

「変数」という箱

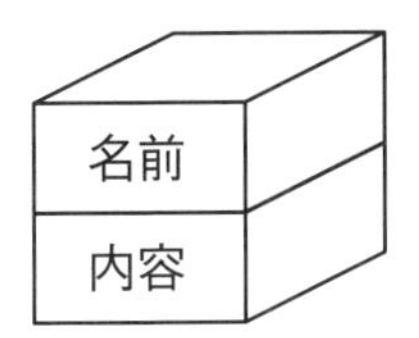

名前は途中で変わらない

内容はコロコロ変わる

一時的に使いたい情報(内容)を記憶(箱に入れて保持)する

箱の名前(入れ物の名前)は同じでも、何らかの影響で内容が変化する。これが変数の特徴です。

なぜ変数が必要なのか?

変数なんてなくなればいいのに……そう感じる人も多いでしょう。でもプログラムには変数が必要なのです。その理由は、プログラムは同じ仕事をするのが得意だから。同じことを繰り返せば繰り返すほど、成果が出てきます。

そして同じ仕事を繰り返すとき、仕事の進め方や繰り返す方法は変えずに、中身だけ変えることで違ったことまでやりたいのです。1つのプログラムで広い範囲をカバーしたい。そのためには移り変わる情報である「変数」を上手に使うことが不可欠なのです。

変数は内容を移動したり計算したりできる

先ほどの給与明細書にあった「総支給額」を思い出してください。総支給額も毎月変化しますので変数です。

では、総支給額という名前を持った箱の内容はどのような結果が入っているのでしょうか。

総支給額
229,540

＝

基本給	職務手当	通勤手当	時間外手当
200,000	10,000	10,850	8,690
定数 ＋	定数 ＋	変数 ＋	変数

たし算した結果を総支給額へ移動

このように変数には、定数や変数を使って計算した結果を移動（代入）することができます。

変数はプログラムが行う作業の中で、次々と変化する情報を一時的に保持する入れ物をイメージしましょう。先ほどの時間外手当は残業時間の増減という影響を受けて変化します。総支給額は通勤手当や時間外手当の増減に影響を受けて変化します。

作業を行うタイミングによって変化する情報を、次の作業に使うため一時的に持っておく箱が変数。P92でお話した「定数」とは逆の存在ですね。

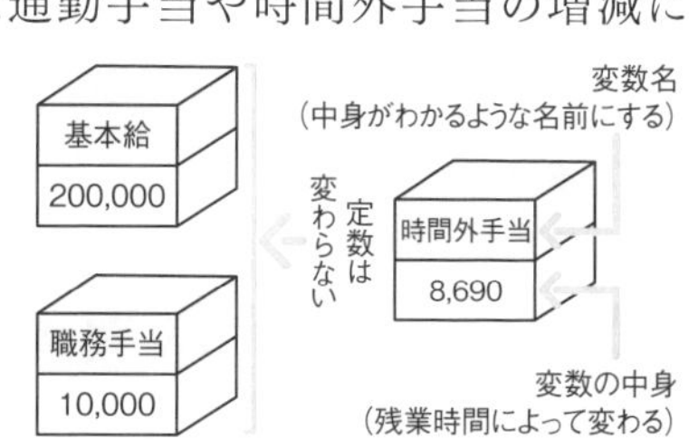

変数を作るときの方法

```
変数名 = 初期の値
```

Pythonの変数名には、以下のルールがあります。

半角英数を使い、1文字目には必ず英字を使う

記号は「_(アンダースコア)」のみ使い、単語と単語の連結にも「_」を使う

例)name、height、width、my_name、my_height、my_width

変数を作るときには、変数名の入力（変数の宣言）と一緒に初期の値を代入します。代入には「=(半角のイコール)」を使います。「=」を挟んで右側の値（情報）が左側の箱（変数）へ代入されます。

代入の例: height = 50　や　my_name = 'パイソン'　と書きます。

Let's Try 7 「変数の宣言と代入」を指定しよう!

身長はあまり変化しませんが、体重は変化しやすいもの。そこでP95の定数「MY_WEIGHT」を変数「my_weight」に変え、計算結果を変数「my_bmi」へ代入し表示してみましょう。

<変数を使ったPythonコード>

```
1  MY_HEIGHT = 1.7 #身長[m]
2  my_weight = 70 #体重[kg]

3  #BMI=体重[kg]÷(身長[m]×身長[m])
4  my_bmi = my_weight / (MY_HEIGHT * MY_HEIGHT)
5  print(my_bmi)
```

入力できたら保存して動かします。P95と同じ答えになれば成功です。

7
日目
2/5

情報には「型」がある！

定数や変数に続いて、もう1つ知っておきたいことがあります。それは「型」です！

情報に「型」が必要な理由

人間は、同じ数字を見たとき、計算に使えるかどうかを経験から判断することができます。例えば、スーパーで1個100円のアイスを3個買う場合、100や3は計算に使える数字だとわかります。

一方で住所の「3丁目」や「25番地」などは、見た目は同じ数字ですが、計算に使うものではないと判断できます。

しかしプログラムの場合、これらの数字を自動的に判別することができません。そこで**プログラムが間違えず情報（値）を使いこなせるように「型」を教えてあげる必要があります**。これによってスムーズに金額を計算したり、番地を住所として表示したりできるようにします。

人間なら問題ないようなことも、1から10まで細かく教えるのがプログラミングの特徴です。プログラムはスーパーマンではありません。どちらかと言うと、手のかかる融通の利かない存在のほうが正しいでしょう。

Pythonの基本的な「4つの型」

Pythonには、次のような基本的な「型」があります。これ以外にも存在するのですが、今は基本の4つを理解しておけば十分。あとは必要なタイミングで少しずつ覚えていけば問題ありません。

Pythonの基本的な4つの型

扱う情報	型	表現
文字列	文字列型	str(ストラ) 型と表現することもあります strとはstring(ストリング：文字列) の略です
数値	整数型	int(イント) 型と表現することもあります intとはinteger(インテジャー：整数) の略です
	浮動小数点型	float(フロート) 型と表現することもあります
論理	論理型	bool(ブール) 型と表現することもあります boolとはboolean(ブーリアン：真偽) の略です

文字列型を見てみよう!

一番上の文字列型とは、「こんにちは」とか「パイソン」などを指します。普段私たちが使っている会話のほとんどは文字列です。ツイッターに投稿するのも文字列ですし、住所や名前も文字列です。

Pythonへ情報（値）が文字列型だと教えるためには、「'(シングルクォート)」か「"(ダブルクォート)」を対で使って値を囲みます。

例：address = '京都府'　name = "日比野新"

数値（整数）型を見てみよう!

数値の整数型とは、「1」や「10」などです。私たちが現金で受け取る・支払う「お金」は常に整数。小数点が発生していない数値の代表です。

Pythonへ情報（値）が整数型だと教えるためには、小数点のない数字をそのまま使います。

例：price = 100

Point

price = '100'とすると、見た目は似ていますがこれは先ほど出てきた文字列として扱われるため計算することができません。

数値（浮動小数点）型を見てみよう!

数値の浮動小数点型とは、「1.1」「10.5」など。消費税率や電気の使用量などでも目にすることがあります。

Pythonへ情報（値）が浮動小数点型だと教えるためには、小数点を付けた数字を使います。

例：tax = 100.5

Point

tax = '100.5'とすると、見た目は似ていますがこれも先ほど出てきた文字列として扱われるため計算することができません。

論理型を見てみよう!

論理型とは「真／偽」「1／0」のように2択で表現するときに使います。

Pythonへ情報（値）が論理型だと教えるためには、真や1なら「True」、偽や0なら「False」を使います。

例：BMI値が25より大きい場合はTrue、そうでない場合はFalseを代入

```
bmi_status = (65 / (1.7 * 1.7)) > 25
```

Let's Try 8 「定数や変数の型」を意識して使ってみよう！

下のコードを書いて、動かしてみましょう。

<定数や変数の型を意識したPythonコード>

```
1  MY_HEIGHT = 1.7 #身長[m]
2  my_weight = 70 #体重[kg]
3  message = 'あなたのBMIは、'

4  #BMI=体重[kg]÷(身長[m]×身長[m])
5  my_bmi = my_weight / (MY_HEIGHT * MY_HEIGHT)
6  print(message)
7  print(my_bmi)
8  print(my_bmi > 25)
```

<表示された結果>

```
あなたのBMIは、
24.221453287197235
False
```

身長は定数の浮動小数点型。体重は変数の整数型。メッセージは変数の文字列型。BMI値が25以上かどうかを比べた結果が論理型です。

7 日目 3/5

文字列の連結・置き換えをしてみよう！

プログラミングでは文字列をくっつけたり、中身を置き換えたりすることがあります。文字列を変更して遊んでみましょう。

文字列をくっつける（連結）理由

プログラミングでは、複数の結果を1つにして見せることがあります。

例えば、「BMI値は」という文字列でできたメッセージと、数値から計算されたBMI値をくっつけて「BMI値は○○」として表示すると、相手に伝わりやすくなります。

文字列をくっつける（連結する）方法

連結したい値を「+」で連結することができます。

例えば、

'わたしは' + 'ネコ'　→　連結結果は「わたしはネコ」になります。

"BMI値は" + str(25)　→　連結結果は「BMI値は25」になります。

1つめの文字列同士の連結は簡単です。しかし文字列と数値を連結する場合には、数値を文字列に「型」を変える必要があります。

そこで「str(数値)」というPythonに最初から備わっている機能（組み込み関数）を使います。こうすると数値が文字列に変換され、文字列同士を連結するのと同じことになります。

文字列を置き換える理由

メッセージの一部分だけを変更し、別のメッセージとして使いたいときがあります。例えば、「Python」という文字を小学生にも読めるように「パイソン」とカタカナに置き換えるなどです。

文字列を置き換える方法

```
文字列.replace('置き換えたい文字列', '置き換える文字列')
```

Let's Try 9 「文字列の連結と置き換え」をやってみよう!

以下のコードを入力し、動かしてみましょう。

<文字列の連結と置き換えをするPythonコード>

```
1 print('わたしは' + 'ネコ')
2 print('BMI値は' + str(25))
3 text_comment = 'AIプログラミングに' + 'Pythonは欠かせない!'
4 #置き換え前を表示
5 print(text_comment)
6 #置き換え後を表示
7 print(text_comment.replace('Python', 'パイソン'))
```

<表示された結果>

```
わたしはネコ
BMI値は25
AIプログラミングにPythonは欠かせない!
AIプログラミングにパイソンは欠かせない!
```

7日目 4/5 変化する内容を埋め込んで表示しよう!

ワードの差し込み印刷のように、決まったフォーマットへコロコロと変わる変数の内容を埋め込んで表示してみよう!

計算結果は数値だけで表示することは少ない

自分だけで使うプログラムなら、BMI値だけ表示されていても何の計算結果なのか理解できます。しかし他人が見る場合、または時間が経ってから自分で見る場合、何の計算結果だったのわからないもの。そこで計算結果を文の中へ埋め込んで表示します。

これはP110で学んだ「文字列の連結」と似ていますが、少し違うのは**毎回「str()」を使って数値を文字列に変える必要がない**ことです。

変数の内容を埋め込み表示する方法

```
print(f'{値}')
```

表示は「print()」でした。埋め込む場合は「f」を表示したい値の前に書き、変数を「{}(波括弧)」で囲むと内容が文の中に埋め込まれます。

Let's Try 10 「文の中に埋め込んで表示」しよう!

次のコードを入力し、動かしてみましょう。

<表示内容に変数や定数の内容を埋め込んで表示するPythonコード>

```
1  MY_HEIGHT = 1.7
2  my_weight = 70
3  my_bmi = my_weight / (MY_HEIGHT * MY_HEIGHT)
4  print(f'体重は{my_weight}kg、身長は{MY_HEIGHT}m')
5  print(f'計算したBMI値は{my_bmi}でした。')
```

<表示された結果>

```
体重は70kg、身長は1.7m
計算したBMI値は24.221453287197235でした。
```

体重、身長、BMI値が決まったレイアウトに埋め込まれました。これはワードで年賀状を印刷して宛名がコロコロと変わって印刷される「差し込み印刷機能」と同じような役割をしています。

この機能はPythonのバージョンが「3.6」から追加されました。このようにプログラミング言語はバージョンによってできること、できないことがあります。

Point

Macを使っていて、このLet's Tryが上手く動かない場合には、ターミナルから以下の命令を入力してください。

```
python -V
```

表示された結果が「Python 3.6」以前であれば、今後のLet's Tryや課題でプログラムを動かすときには、ターミナルから「python」と入力するのではなく「python3」と入力して試してください。表示された結果が「Python 3.6」以降の場合は入力した内容に原因がありますので、間違い探しをしてみましょう!

7日目 5/5 【課題3】キッチンの最適な高さを計算しよう!

3回目の課題です!わからないことがあれば、「ヒント」を参考にしたり、これまで学んだページを見直そう!

課題の内容

P96で作成した【課題2】に対して、以下の課題を追加していき、最適なキッチンの高さを求める計算機を作成してみましょう。【課題2】で保存したファイル「kitchen_height_calc.py」をエクスプローラー(Macの場合はFinder)で保存場所を見つけ、テキストエディタで開いて課題の準備をします。

STEP1 身長の内容を表示しよう!

身長を指定した定数の下へ、以下の内容を追加します。

```
1 print(f'あなたの身長は{HEIGHT}cmです。')
2 print('-----')
```

Point

printの丸括弧の中を見てください。表示する文字列の前に「f」があります。この「f」は「''」で囲った表示する内容へ、波括弧{}で囲まれた定数や変数の中身を埋め込んでいます。今回の場合だと、波括弧で囲まれた定数「HEIGHT」の中身が前後の文字列の間に埋め込まれます。

この表示方法は結果をわかりやすく伝えられて便利なので、今後も登場してきます。

STEP2 計算結果を表示するメッセージを作ろう!

目安計算（その1）の前へ、以下の内容を入力します。

```
3  #計算結果の表示メッセージ
4  kitchen_message = '最適なキッチンの高さ(そのn)は'
```

STEP3 目安計算(その1)を計算しよう!

高さの計算と表示の部分を、以下の内容に変更します。

```
5  kitchen1 = HEIGHT / 2 + 5
```

STEP4 メッセージを「その1」用にしよう!

STEP3で変更した部分の下へ、以下の内容を追加します。

```
6  message = kitchen_message.replace('そのn', 'その1')
```

STEP5 計算結果メッセージと計算結果を表示しよう!

STEP4で追加した部分の下へ、以下の内容を追加します。

```
7  print(f'{message}{kitchen1}cmです。')
```

ヒント

再登場しました。思い出してくださいね。

STEP6 目安計算(その2)を計算しよう!

高さの計算と表示の部分を、以下の内容に変更します。

```
8   kitchen2 = HEIGHT - 60 - 10
```

STEP7 メッセージを「その2」用にしよう!

```
9   message = kitchen_message.replace('そのn', 'その2')
```

STEP8 計算結果メッセージと計算結果を表示しよう!

```
10  print(f'{message}{kitchen2}cmです。')
```

前ページの目安計算（その1）で行ったことを参考にしてください。同じ方法でできます。

ここまでできれば保存します。保存したファイルを課題2と同じようにして動かしてみましょう。そうすると以下の内容が表示されます。

答え合わせ

```
あなたの身長は160cmです。
-----
最適なキッチンの高さ(その1)は85.0cmです。
-----
最適なキッチンの高さ(その2)は90cmです。
-----
```

7日目のまとめ

- □ ややこしくてみんな好きではないけれど変数を理解しよう
- □ 値(データ)には「型」があることを覚えておこう
- □ 文字の置き換えや連結、決まったレイアウトへ値を埋め込む方法がある

※あなたが入力した身長によって結果が変わります。電卓で正しい結果になっているか計算して確かめてみましょう。

課題3の正解コード

```
1   #あなたの身長は?(単位cm)
2   HEIGHT = 160
3
4   print(f'あなたの身長は{HEIGHT}cmです。')
5   print('-----')
6
7   #計算結果の表示メッセージ
8   kitchen_message = '最適なキッチンの高さ(そのn)は'
9
10  #キッチンの高さの目安計算(その1)
11  #キッチンの高さ=身長[cm]÷2+5cm
12  kitchen1 = HEIGHT / 2 + 5
13  message = kitchen_message.replace('そのn', 'その1')
14  print(f'{message}{kitchen1}cmです。')
15  print('-----')
16
17  #キッチンの高さの目安計算(その2)
18  #キッチンの高さ=肘高cm−10cm
19  #肘高はおおよそ「身長[cm]−60cm」と言われています
20  kitchen2 = HEIGHT - 60 - 10
21  message = kitchen_message.replace('そのn', 'その2')
22  print(f'{message}{kitchen2}cmです。')
23  print('-----')
```

8日目 1/6 用意された「魔法」を使って入力しよう!

プログラムには天才が作って用意してくれた「組み込み関数」があります。今回は入力機能を持った組み込み関数を使ってみます。

組み込みとは

よく利用する仕事を呼び出すだけで誰でも使えるようにした、Pythonの中で最初から用意されている部品です。

関数とは

プログラムには、世界中の天才が私たちのために、難しいことも簡単にできるようにした部品（関数）があります。関数は魔法に似ています。魔法は叶えたいことに合わせて呼び出すものが変わります。同じように、関数も実現したいことに合わせて呼び出すものを変えることで、求めている結果が手に入ります。

関数には「引数」と「戻り値」がある

普段聞かない単語が出てきました。
「引数（ひきすう）」とは、魔法を使うときに唱える呪文や小道具です。
「戻り値（もどりち）」とは、呪文と小道具によって引き起こされた結果です。
関数は、魔法を使うときに呪文と必要な小道具を使うことで、適切な結果が何度も再現できるようになっているのと同じ仕組みなのです。

文字を入力する組み込み関数を使う方法

```
戻り値 = input(引数)
```

引数：入力する部分に表示するメッセージを文字列で指定します
戻り値：キーボードから入力された結果が文字型で戻ってきます

Let's Try 11 「文字列を入力」してみよう！

以下のコードを入力し、動かしてみましょう。

<組み関数を使ったPythonコード>

```
1    #名前を入力
2    my_name = input('名前を入力してください:') #入力内容を変数へ代入
3    message = my_name + 'さんのBMIは、'

4    #BMI=体重[kg]÷(身長[m]×身長[m])
5    my_bmi = 70 / (1.7 * 1.7)
6    print(f'{message}{my_bmi}です。')
```

<表示された結果>

```
名前を入力してください：日比野新
日比野新さんのBMIは、24.221453287197235です。
```

8
日目
2/6
一言メッセージを変えて表示しよう！

プログラムには条件によって仕事を振り分ける「条件分岐」というものがあります。今回は結果によって表示するメッセージを変えてみましょう。

条件分岐とは

プログラムでは変数の内容が、どのような状態なのかを知ることで、適切な仕事（処理）へ振り分けることができます。これは列車が走る線路を行き先によって切り替える「ポイント」のようなイメージです。

前項で取り上げた「BMI値」を例にして見てみましょう。
「日本肥満学会」ではBMI値によって肥満度を下のように分類しています。

BMI値の範囲	判定(WHO基準)
～18.5未満	低体重(Underweight)
18.5以上25未満	標準体重(Normal range)
25以上30未満	肥満1度 (Pre-obese)
30以上35未満	肥満2度 (Obese classI)
35以上40未満	肥満3度 (Obese classII)
40以上～	肥満4度 (Obese classIII)

出典：日本肥満学会より
http://www.jasso.or.jp/data/magazine/pdf/chart_A.pdf

変数「BMI値」の中身によって列車の線路が切り替わり行き先が変化するように、肥満度が切り替わる様子を図で表すと、次のようなイメージになります。

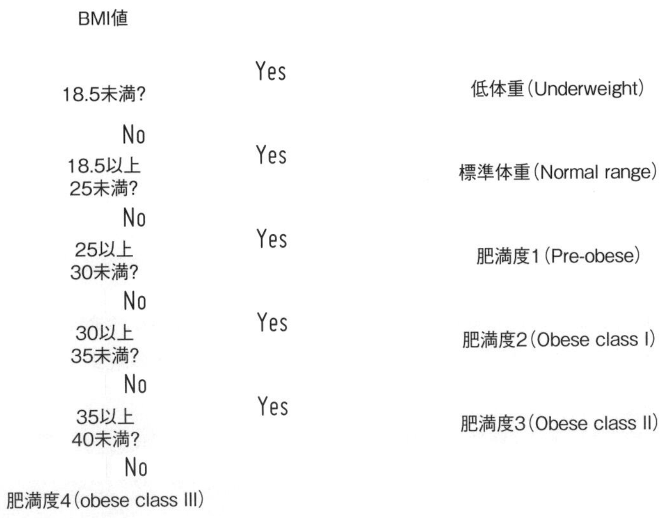

条件分岐を指定する命令

ケース1

```
if 条件式1:
  処理1
```

※「もし（if)、条件式1が正しかったなら処理1を動かす」という文章に置き換えて考えるとわかりやすいです。

ケース2

```
if 条件式1 :
  処理1
elif 条件式2 :
  処理2
```

※条件式1に一致している場合は処理1が、「条件式1ではなく条件式2に一致しているなら処理2を動かす（elif)」という流れになります。条件式は上から順に一致するかどうかを見ていきます(これを「評価する」といいます)。

ケース3

```
if 条件式1 :
  処理1
elif 条件式2 :
  処理2
else :
  処理3
```

※条件式1に一致している場合は処理1が、条件式2に一致している場合は処理2が、「どちらでもない（else）」場合は処理3が動きます。

:半角空白1つ
␣:半角空白4つ

If、elif、else
後ろの半角「:コロン」の
入力忘れに注意しましょう!

```
If 条件式1 :↵
␣処理1↵
elif 条件式2 :↵
␣処理2 ↵
else:↵
␣処理3 ↵
```

<if文の書き方の注意点>

空白の使い方と「:」に注意しよう!

※条件式には代表的な比較の書き方があります（比較演算子といいます）。

AとBが等しい → 「==」（イコールを2つつなげます）	
AとBが等しくない → 「!=」（ビックリとイコールをつなげます）	
AがBより大きい → 「>」	AがBと同じか大きい → 「>=」
AがBより小さい → 「<」	AがBと同じか小さい → 「<=」
AとBが同一 → 「is」（A is B と書きます）	

Let's Try 12 「条件分岐」を指定しよう!

P119の6行目の下に、以下のコードを追加して動かしてみましょう。

<条件分岐を組み込んだPythonコード>

```
1   #BMI値によって肥満度を分類する
2   if my_bmi < 18.5 :
3       print('低体重(Underweight)')
4   elif my_bmi >= 18.5 and my_bmi < 25 :
5       print('標準体重(Normal range)')
6   elif my_bmi >= 25 and my_bmi < 30 :
7       print('肥満度1(Pre-obese)')
8   elif my_bmi >= 30 and my_bmi < 35 :
9       print('肥満度2(Obese class I)')
10  elif my_bmi >= 35 and my_bmi < 40 :
11      print('肥満度3(Obese class II)')
12  else:
13      print('肥満度4(Obese class III)')
```

※「and」とは「論理演算子」といい、「and」を挟んで左条件の評価結果と、右条件の評価結果が両方一致した場合に処理をします。

※文字の間にある半角空白に気をつけながら入力しましょう。また「print」左側の「半角空白4つ」は必ず入力してください。

<表示された結果>

```
名前を入力してください：日比野新
日比野新さんのBMIは、24.221453287197235です。
標準体重(Normal range)
```

8 日目 3/6

他の人のBMI値も計算してみよう!

自分だけでなく、家族や友人のBMI値を簡単に計算できる方法を紹介するよ!

BMI値の計算には3つ情報が必要

BMI値を計算するためには、「体重」「身長」の2つ情報が必要です。そしてよりBMI計算機としての使い勝手を考えるなら、計算したい人の「名前」もあればベストです。

計算に必要な情報を1つにまとめよう!

名前、体重、身長。それぞれバラバラでも構いませんが、1人分の情報をまとめておくほうがわかりやすいです。こういったとき、プログラミングでは「リスト」という便利な機能を使います。

リストとは

複数の情報（値）をまとめて扱える機能です。まとめられた情報は順番に管理されているので、「〇番目の情報をください」と問い合わせるだけで簡単に使うことができます。

リストを作る方法

```
リストの名前 = [情報1, 情報2, 情報3, ......]
```

※「,(カンマ)」直後の半角スペースは、見やすさのために入れています。なくても問題ありませんが、入れておくほうが見間違いを防げます。

例：値で作ったリスト

```
numbers = [34, 31, 46, 74, 7 ,15] #数値だけ
alphabs = ['kyoto', 'osaka', 'nara'] #アルファベットだけ
jkanjis = ['京都', '大阪', '奈良']  #漢字だけ
mixed = ['京都', 'kyoto!', 600, 25.3] #混在もOK
```

リストの使い方

上の例「numbers」を使って、リストにまとめられた情報の使い方を見てみましょう。

```
print(numbers[0]) #numbersの左から0番目を表示
```

とした場合、「34」が表示されます。リストは左から「0番目」「1番目」「2番目」……と順番に右へ番号を増やしながら管理されています。

では、次の場合は何が表示されるでしょうか。

```
print(numbers[2]) #numbersの左から2番目を表示
```

答えは「46」です。左端が0番目の「34」ですから、0、1、2と数えると2番目は「46」です。では、もう1つ見てみましょう。

```
print(numbers[2:5])
```

リストの番号を指定する部分に「:(コロン)」が出てきました。コロンを使うと取り出す「範囲」を指定できます。ワードの印刷でページ範囲の指定をす

るのと似ています。[2:5]の場合は2番目から5番目の手前までを取り出すので、46と74と7が表示されます。そして、こんな使い方もできます。

```
print(numbers[:5]) #最初から5番目の手前まで
print(numbers[4:]) #4番目から最後まで
```

Let's Try 13 「3つの入力をまとめてBMIを計算」しよう!

以下のコードを入力して、動かしてみましょう。

<リストを使ったPythonコード>

```
1   #BMIチェックに必要な名前、体重、身長を1つの塊り(リスト)にする
2   bmi_elements = ['', 0.0, 0.0]

3   #名前を入力
4   bmi_elements[0] = input('名前を入力してください:')
5   #体重・身長を入力
6   bmi_elements[1] = input('体重(kg)を入力してください:')
7   bmi_elements[2] = input('身長(m)を入力してください:')

8   #入力された内容を表示
9   print('入力された内容を確認のため表示')
10  print(f'名前:{bmi_elements[0]}')
11  print(f'体重と身長:{bmi_elements[1:]}')
12  print('-----')

13  #入力された名前を使ってメッセージを作成
```

```
14  message = bmi_elements[0] + 'さんのBMIは、'

15  #入力された体重と身長は文字列なので計算できるよう「型」を浮動小数点
    に変換
16  my_weight = float(bmi_elements[1])
17  my_height = float(bmi_elements[2])

18  #BMI=体重[kg]÷(身長[m]×身長[m])
19  my_bmi = my_weight / (my_height * my_height)
20  print(f'{message}{my_bmi}です。')
```

ヒント

プログラムする量が増えてきたので、慌てずゆっくりと入力しましょう!

<表示された結果>

```
名前を入力してください：マッスル岩井
体重(kg)を入力してください：80
身長(m)を入力してください：1.8
入力された内容を確認のため表示
名前：マッスル岩井
体重と身長：['80', '1.8']
-----
マッスル岩井さんのBMIは、24.691358024691358です。
```

※マッスル岩井さんは架空の人物です。ご家族や友人の情報を入力して BMIが計算されるか試してみましょう!

8日目 4/6 3回繰り返して入力を簡単にしよう!

BMI値の計算には3つの入力を使いましたが、プログラムらしく同じような処理は1つにしておきたいところ。繰り返しを使って入力部分を工夫しましょう。

繰り返しをする部分

名前、体重、身長。入力ごとに組み込み関数の「input」を使っています。よく見ると入力で似たメッセージを表示しているだけで、他の部分は同じです。何度も同じことを書くと間違えが増えます。またコンピュータが得意な「同じことを繰り返す」利点を活用できませんので工夫する部分です。

繰り返しを使う方法

繰り返しには「while」と「for」があります。今回は、この後に学ぶ「AIプログラミング」で使う「for」に関して説明します。

```
for 変数 in 繰り返す情報 :
    繰り返す処理
```

※P122のifと同様「:」と、繰り返す処理の前の空白4つに注意です!

例:どのように動いているのか例を使って見てみよう

```
lunches = ['ステーキ', 'パスタ', '寿司']
for todays_lunch in lunches :
    print(todays_lunch)
```

```
ステーキ
パスタ
寿司
```

1　繰り返す情報であるリスト「lunches」の0番目から、1つずつ順番に内容を取り出し、変数「todays_lunch」へ代入します。
2　代入が完了すると「繰り返す処理」の中の部分へ進みます。今回の例では、変数「todays_lunch」の内容を組み込み関数「print」を使って表示しています。
3「繰り返す処理」が終わると、「lunches」から次の情報を取り出します。最後まで同じことを繰り返します。
4　最後の「繰り返す処理」が完了すると、forを使った繰り返しが終わります。

Let's Try 14 「3つの項目を繰り返しで入力」しよう!

P126の1～7行目を以下のコードに入力しなおし、動かしてみましょう。

<繰り返しを使って入力するPythonコード>

```
1  #BMIチェックに必要な名前、体重、身長を1つの塊り(リスト)にする
2  bmi_elements = ['', 0.0, 0.0]
3  bmi_messages = ['名前', '体重(kg)', '身長(m)']

4  #3つの項目を入力
5  num = 0
6  for entry in bmi_messages :
7      bmi_elements[num] = input( entry + 'を入力してください:')
8      num = num + 1
```

<表示された結果>

結果はP127と同じです。違っている場合は内容をチェックしましょう。

```
名前を入力してください：マッスル岩井
体重(kg)を入力してください：80
身長(m)を入力してください：1.8
入力された内容を確認のため表示
名前：マッスル岩井
体重と身長：['80', '1.8']
-----
マッスル岩井さんのBMIは、24.691358024691358です。
```

8日目 5/6 字下げはものすごく大事！

どのプログラム言語でも字下げは大切なのですが、Pythonの場合は「ものすごく大事」です！

字下げをする理由

字下げ（インデント）はプログラムのコードを見やすくする役割があります。例えば次の2つのコードを見たとき、どちらが読みやすいでしょうか。

字下げがあるコード

```
#BMI値によって満足度を分類する
If my_bmi < 18.5 :
    print(' 低体重(Underweight)' )
elif my_bmi > = 18.5 and my _bmi < 25 :
    print(' 標準体重(Normal range)' )
elif my_bmi > = 25 and my _bmi < 30 :
    print(' 肥満度1(Pre-obese)' )
elif my_bmi > = 30 and my _bmi < 35 :
    print(' 肥満度2(Obese class I)' )
elif my_bmi > = 35 and my _bmi < 40 :
    print(' 肥満度3(Obese class II)' )
else :
    print(' 肥満度4(Obese class III)' )
```

字下げがないコード

```
#BMI値によって肥満度を分類する
If my_bmi < 18.5 :
print(' 低体重(Underweight)' )
elif my_bmi > = 18.5 and my _bmi < 25 :
print(' 標準体重(Normal range)' )
elif my_bmi > = 25 and my _bmi < 30 :
print(' 肥満度1(Pre-obese)' )
elif my_bmi > = 30 and my _bmi < 35 :
print(' 肥満度2(Obese class I)' )
elif my_bmi > = 35 and my _bmi < 40 :
print(' 肥満度3(Obese class II)' )
else :
print(' 肥満度4(Obese class III)' )
```

同じコードですが、左のほうが右よりも目に優しいはずです。これがプログラミングで字下げをする一般的な理由です。

Pythonの字下げの理由はまだある！

プログラムには「ブロック」という考え方があります。ブロックは「○○～△△までが1つの処理のまとまりですよ」と示しています。

ブロックを使って動かしたい部分のまとまりを明確にすることで、プログラムは条件に一致したとき「どこからどこまで」を動かしていいのかがわかります。また「どこからどこまで」を繰り返していいのかもわかります。明確でないと、どこまでを動かしていいのかわからなくなります。

```
If 条件式1:
    処理1-1
    処理1-2
    処理1-3
elif 条件式2:
    処理2-1
    処理2-2
    処理2-3

for 変数 in 繰り返す情報:
    繰り返しの処理1-1
    繰り返しの処理1-2
    If 条件式3 :
        処理3-1
        処理3-2
```

If分のブロックなので、半角空白4つ分の字下げをしている。

eilfのブロックなので、字下げしている。

forで繰り返すブロックなので、字下げしている。

If文を使った条件式3のブロック。forのブロックの内側にあるので、forの字下げにifの字下げをプラスし、半角空白4つの2回分（計8つ分）を字下げしている。

このように「ブロック」は、プログラミングに欠かせない法則なのです。

そして**Pythonでブロックを作るには「半角空白4つ」の字下げ**を使います。

字下げ（インデント）の方法

字下げは1つのブロックに対して「半角空白4つ」をコードの前に書くと覚えておきましょう。

Let's Try 15 「字下げでエラーを体験」しよう!

以下のコードを入力し、動かしてみましょう。エラーが出ます。

<字下げができてないのでエラーになるPythonコード>

```
1  if 20 < 50 :
2  print('字下げは大事!') #printの左側に字下げ(インデント)がない
```

<表示された結果>

```
  File "15_字下げでエラーを体験.py", line 2
    print('字下げは大事！')
        ^
IndentationError: expected an indented block
```

「print」の前に字下げ（半角空白4つ）を入れて保存し動かしましょう。少しの違いで動いたり動かなかったりします。

8 日目 6/6

【課題4】キッチンの最適な高さを計算しよう！

4回目の課題です！わからないことがあれば、「ヒント」を参考にしたり、これまで学んだページを見直そう！

課題の内容

P114で作成した【課題3】に対して、以下の課題を追加していき、最適なキッチンの高さを求める計算機を作成してみましょう。【課題3】で保存したファイル「kitchen_height_calc.py」をエクスプローラー（Macの場合はFinder）で保存場所を見つけ、テキストエディタで開いて課題の準備をします。

STEP1 自分以外の身長を入力できるようにしよう！

身長を定数で指定している部分を、以下の内容に変更します。

```
1  #身長と今のキッチンの高さ情報をひとまとめにする
2  kitchen_elements = [0.0, 0.0]
3  kitchen_messages = ['身長(cm)', '今のキッチンの高さ(cm)']

4  #2つの項目を入力
5  num = 0
6  for entry in kitchen_messages :
7      kitchen_elements[num] = input(entry + 'を入力してください:')
8      num = num + 1

9  print('-----')
```

ヒント

リストと繰り返しを使います。繰り返しの字下げに注意!

STEP2 入力した身長と高さを「型」変換しよう!

STEP1で変更した下へ、以下の内容を追加します。

```
10  #それぞれの高さ情報を文字から浮動小数点に変換
11  human_height = float(kitchen_elements[0])
12  kitchen_height = float(kitchen_elements[1])
```

ヒント

変数には「型」があったことを思い出しましょう

STEP3 身長が定数から変数に変わったので対応しよう!

身長の表示を以下のように変更します。

```
13  print(f'あなたの身長は{human_height}cmです。')
```

キッチンの高さの目安計算(その1)を以下のように変更します。

```
14  kitchen1 = human_height / 2 + 5
```

STEP4 今のキッチンの高さと目安計算(その1)を比較しよう!

目安計算(その1)の結果表示の下へ、以下の内容を追加します

```
15  #今のキッチンの高さと比較し目安と同じなら適合
16  #それ以外なら高い・低いと表示する
17  if kitchen1 == kitchen_height :
```

```
18      print('最適な高さです')
19    elif kitchen1 > kitchen_height :
20      print('目安よりも低いようです')
21      print('腰痛に注意しましょう')
22    else:
23      print('目安よりも高いようです')
24      print('肩こりに注意しましょう')
```

STEP5 身長が定数から変数へ変わったので対応しよう!

キッチンの高さの目安計算（その2）を以下のように変更します。

```
25    kitchen2 = human_height - 60 - 10
```

STEP6 今のキッチンの高さと目安計算（その2）を比較しよう!

目安計算（その2）の結果表示の下へ、以下の内容を追加します

```
26    #今のキッチンの高さと比較し目安と同じなら適合
27    #それ以外なら高い・低いと表示する
28    if kitchen2 == kitchen_height :
29      print('最適な高さです')
30    elif kitchen2 > kitchen_height :
31      print('目安よりも低いようです')
32      print('腰痛に注意しましょう')
33    else:
34      print('目安よりも高いようです')
35      print('肩こりに注意しましょう')
```

ここまでできれば保存します。保存したファイルを【課題3】と同じようにして動かしてみましょう。そうすると以下の内容が表示されます。

答え合わせ

```
身長(cm)を入力してください:160
今のキッチンの高さ(cm)を入力してください:85
-----
あなたの身長は160.0cmです。
-----
最適なキッチンの高さ(その1)は85.0cmです。
最適な高さです
-----
最適なキッチンの高さ(その2)は90.0cmです。
目安よりも低いようです
腰痛に注意しましょう
-----
```

課題4の正解コード

```
1 #身長と今のキッチンの高さ情報をひとまとめにする
2 kitchen_elements = [0.0, 0.0]
3 kitchen_messages = ['身長(cm)', '今のキッチンの高さ(cm)']

4 #2つの項目を入力
5 num = 0
6 for entry in kitchen_messages :
7     kitchen_elements[num] = input(entry + 'を入力してください:')
8     num = num + 1

9 print('-----')
```

```
10  #それぞれの高さ情報を文字から浮動小数点に変換
11  human_height = float(kitchen_elements[0])
12  kitchen_height = float(kitchen_elements[1])

13  print(f'あなたの身長は{human_height}cmです。')
14  print('-----')

15  #計算結果の表示メッセージ
16  kitchen_message = '最適なキッチンの高さ(そのn)は'

17  #キッチンの高さの目安計算(その1)
18  #キッチンの高さ=身長[cm]÷2+5cm
19  kitchen1 = human_height / 2 + 5
20  message = kitchen_message.replace('そのn', 'その1')
21  print(f'{message}{kitchen1}cmです。')

22  #今のキッチンの高さと比較し目安と同じなら適合
23  #それ以外なら高い・低いと表示する
24  if kitchen1 == kitchen_height :
25      print('最適な高さです')
26  elif kitchen1 > kitchen_height :
27      print('目安よりも低いようです')
28      print('腰痛に注意しましょう')
29  else:
30      print('目安よりも高いようです')
31      print('肩こりに注意しましょう')

32  print('-----')
```

```
33  #キッチンの高さの目安計算(その2)
34  #キッチンの高さ=肘高cm−10cm
35  #肘高はおおよそ「身長[cm]−60cm」と言われています
36  kitchen2 = human_height - 60 - 10
37  message = kitchen_message.replace('そのn', 'その2')
38  print(f'{message}{kitchen2}cmです。')
```

```
39  #今のキッチンの高さと比較し目安と同じなら適合
40  #それ以外なら高い・低いと表示する
41  if kitchen2 == kitchen_height :
42      print('最適な高さです')
43  elif kitchen2 > kitchen_height :
44      print('目安よりも低いようです')
45      print('腰痛に注意しましょう')
46  else:
47      print('目安よりも高いようです')
48      print('肩こりに注意しましょう')
```

```
49  print('-----')
```


8日目のまとめ

組み込み関数や条件分岐を思い出そう

リストと繰り返しも大切

インデントはものすごく大事なのでしっかり覚えておこう

9
日目
1/5

肥満度判断の内容は簡単に変えられるように

BMI値の範囲の基準が変わったとき簡単に変更できるようにしよう!

BMI値の範囲を条件分岐で使い肥満度を判定し表示しています。BMI値の範囲をプログラムの途中で変更できない「まとまり」にしておくと、基準が変わっても簡単に変更できます。

変更できない「まとまり」とは

情報をまとめて扱える機能には「リスト」がありました（P124参照）。しかしリストは途中で内容を変更できてしまいます。そこで情報をまとめて扱いながら変更できない機能「タプル（tuple）」を使います。

タプル(tuple)を作る方法

タプルとは「組」という意味です。文字通り情報を「組」にします。

```
タプルの名前 = (情報1, 情報2, 情報3, ……)
```

※「,（カンマ）」直後の半角スペースは、見やすさのために入れています。なくても問題ありませんが、入れるほうが見間違いを防げます。

リストと似ています。リストは[]で作りましたが、タプルは（）で作ります。[]か（）かの違いで機能（性質）が変わります。

タプルの使い方

タプルの使い方はリストと同じです。左から「0番目」「1番目」と並んでいます。「,(カンマ)」を使った取り出し方も同じです。復習も兼ねてP125をもう一度読み返しましょう。

例：値で作ったタプル

```
numbers = (34, 31, 46, 74, 7, 15)
alphabs = ('kyoto', 'osaka', 'nara')
jkanjis = ('京都', '大阪', '奈良')
mixed = ('京都', 'kyoto', 600, 25.3)
```

タプルの使い方

上の例「numbers」を使って、タプルにまとめられた情報の使い方を見てみましょう。

```
print(numbers[0]) #numbersの左から0番目を表示
```

とした場合、「34」が表示されます。

ここで注意することは、情報を取り出すときにはリストと同じように[]を使うことです。作るときには()を使いますが、使うときは[]なので気をつけましょう。

次の場合は、どのような表示になるでしょうか？　リストのときを思い出してください。

```
print(numbers[2]) #numbersの左から2番目を表示
```

答えは「46」ですね。左端の0番目が「34」ですから、数えていくとわかりますね。

では、使い方をもう1つ見ておきましょう。

```
print(numbers[2:5])
```

リストでもありました。この方法を「スライス」といいます。情報を切り出しているイメージが感じられます。上の場合は2番目から5番目の手前までを切り出す（取り出す）ので、46と74と7が表示されます。またリストでもありましたがタプルもこんな使い方ができます。

```
print(numbers[:5]) #最初から5番目の手前まで
print(numbers[4:]) #4番目から最後まで
```

Let's Try 16 「BMI値の範囲をまとめて利用」しよう!

P126の3つの項目を入力する部分の上（2行目と3行目の間）へ、以下のコードを追加しましょう。

<タプルを宣言するPythonコード>

```
1  #肥満度の判別をタプルにする
2  bmi_checks = (
3      (0, 18.5, '栄養不足に注意しましょう'),
4      (18.5, 25, '今の状態を維持しましょう'),
5      (25, 99, '食事改善や運動を検討しましょう')
6  )
```

P127の最後に肥満度結果の条件分岐を以下のように追加しましょう。

<条件分岐で表示メッセージを選択するPythonコード>

```
7   #BMI値によって肥満度を分類する
8   if my_bmi < bmi_checks[0][1] :
9       print(bmi_checks[0][2])
10  elif my_bmi >= bmi_checks[1][0] and my_bmi < bmi_checks[1]
    [1] :
11      print(bmi_checks[1][2])
12  else:
13      print(bmi_checks[2][2])
```

Point

「bmi_checks[0][1]」とはタプルの「0行目」の「1番目」を表しています。コードで見ると0行目「(0, 18.5, '栄養不足に注意しましょう')」の1番目なので「18.5」です（左端が0番目なのを思い出しましょう）。エクセルシートの行と列の関係をイメージするとわかりやすいです。

<表示された結果>

```
名前を入力してください：日比野新
体重(kg)を入力してください：68
身長(m)を入力してください：1.7
入力された内容を確認のため表示
名前：日比野新
体重と身長：['68', '1.7']
-----
日比野新さんのBMIは、23.529411764705884です。
今の状態を維持しましょう
```

9日目 2/5 エラーに対処しよう！

プログラムで複雑なことをし始めると、予期しないエラーが起こることがあります。わかる範囲で予測して対処しておきましょう。

どんなときにエラーが起こるのか

「計算したら大きな数値になった」「割り算をゼロでしようとした（100÷0など）」「ファイルを見つけて表示しようとしたけれど、指定された場所にファイルがなかった」。このように、プログラムを作っているときにはわかりませんが、動かしたときの状況によってエラーは起こる可能性があります。

予期しないエラーに対処する方法

予期しないエラーに対処する方法を「例外処理」といいます。想定とは違うこと（例外）が起こったときにどうするか、と考えるとわかりやすいですね。

```
try :
→例外が起こるかもしれない処理……①
except 例外1 :
→例外1が起こったときに対処する処理……②
except:
→例外1以外のエラーが起こったときに対処する処理……③
```

※ここでも字下げが出てきています。P130の内容を思い出しましょう。

①でエラーが発生しない場合は、exceptの部分はすべて無視されます。

①でエラーが発生した場合、例外の種類が「例外1」なら②、「例外1」でないなら③の対処を行います。

Let's Try 17 「おかしな結果に対処」しよう!

以下のコードを入力して動かしてみましょう。

<例外処理を取り入れたPythonコード>

```
1  my_weight = 70 #体重70kg
2  my_height = 0 #身長0m
3  try:
4      #身長が0以下の場合、わり算できない
5      if my_height <= 0 :
6          raise ValueError('身長が正しくありません。')
7      #BMI=体重[kg]÷(身長[m]×身長[m])
8      my_bmi = my_weight / (my_height * my_height)
9      print(f'あなたのBMI値は{my_bmi}です。')
10 except ValueError as e:
11     print('体重または身長を見直してください。')
12     print(e)
13 except:
14     import traceback
15     traceback.print_exc()
```

<表示された結果>

```
体重または身長を見直してください。
身長が正しくありません。
```

身長に「0」を指定したので、例外処理が動いた結果を見ることができました。

9
日目
3/5

何度も使えそうな部分は「外出し」で使い回そう!

他のプログラムでも使えそうな機能は簡単に何度でも使い回したい。そこで「モジュール」という再利用可能な機能の集まりを作ります。

モジュールってなに？

P118で組み込み関数について学習しました。組み込み関数は天才が用意してくれた便利な機能でした。しかし、Pythonでは天才だけではなく誰でも便利に使い回せる機能のカタマリを作ることができます。このカタマリを「モジュール」と呼びます。モジュールは目的に合わせた機能をギュッと1つのファイルにすることで、何度でも、どのプログラムからでも使うことができます。これは何度も同じプログラムを書かなくて済むので楽ができる方法ですし、上手く動いたモジュールなら別のPython環境でも安心して使えます。

モジュールの作り方

```
def 関数名(引数, ....) :
    関数で実施したい処理
    return 戻り値
```

※ここでも字下げが出てきました。注意しましょう。

引数、戻り値ともになくてもOKです。引数と戻り値についてはP118を参照しましょう。

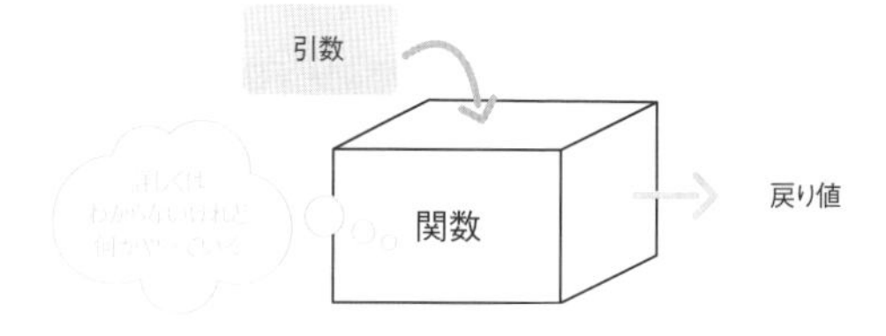

Let's Try 18 「BMIモジュール」を作ってみよう!

テキストエディタで新規ファイルを用意し、次の内容を入力します。

<BMIモジュールのPythonコード>

```
1   def calc(weight, height) :
2      #BMI=体重[kg]÷(身長[m]×身長[m])
3      bmi = weight / (height * height)
4      return bmi

5   def message(bmi) :
6      #タプル
7      bmi_checks = (
8         (0, 18.5, '栄養不足に注意しましょう'),
9         (18.5, 25, '今の状態を維持しましょう'),
10        (25, 99, '食事改善や運動を検討しましょう')
11     )

12     #BMI値によって肥満度を分類する
13     if bmi < bmi_checks[0][1] :
14        bmi_msg = bmi_checks[0][2]
15     elif bmi >= bmi_checks[1][0] and bmi < bmi_checks[1][1] :
16        bmi_msg = bmi_checks[1][2]
17     else:
18        bmi_msg = bmi_checks[2][2]
19
20     return bmi_msg
```

入力できたら以下の内容に従って保存します。

- **ファイル名：bmi.py**
- **保存場所：ドキュメント/pycvai/ （Mac：書類/pycvai）**
- **保存形式（文字コード）：utf-8**

モジュールの使い方

自分が作ったモジュール。世界の天才が作ってくれたモジュール。ここではモジュールの使い方を見ていきます。

```
import モジュール名
```

※モジュール名は、1つ前で保存したモジュールのファイル名から拡張子「.py」を省いた名前を使います。

はじめに使いたいモジュールを「自分のプログラムへ取り入れます（インポートします）」と宣言することが必要です。宣言を忘れていると、どのモジュールの関数を使うのかプログラムはわからないので混乱しエラーを出してきます。

宣言が終わると関数の使い方はP118のinputと同じです。インポートしたモジュールの「def」で使った関数名を入力するだけ（モジュール名.関数名と明確に入力すると間違いが少なくなります）。一緒に引数が必要なら入力します。戻り値があれば結果を変数などへ代入します。

Let's Try 19 「外部BMIモジュール」を使ってみよう！

以下の内容を入力し、動かしてみましょう。

<モジュールを使ったPythonコード>

```
1   import bmi
2   #体重と身長を代入
3   my_weight = 70
4   my_height = 1.7
5   #BMIモジュールを使って計算
6   my_bmi = bmi.calc(my_weight, my_height)
7   print(my_bmi)
8   #BMIモジュールを使ってメッセージを選択
9   bmi_message = bmi.message(my_bmi)
10  print(bmi_message)
```

※引数を渡すとき、「引数名=渡したい情報」とすることもできます。

例：

```
my_bmi = bmi.calc(weight=my_weight, height=my_height)
```

6行目を変えてみました。渡したい引数名を入力することで、渡し間違いを無くせます。「○○さんに渡して」という感じです。まずはこの2つの渡し方を覚えておきましょう。

<表示された結果>

```
24.221453287197235
今の状態を維持しましょう
```

動かしたプログラム本体には、BMIの計算も表示するメッセージを決める処理もありませんが、外部に作ったモジュールを使うことで問題なく動くことがわかります。

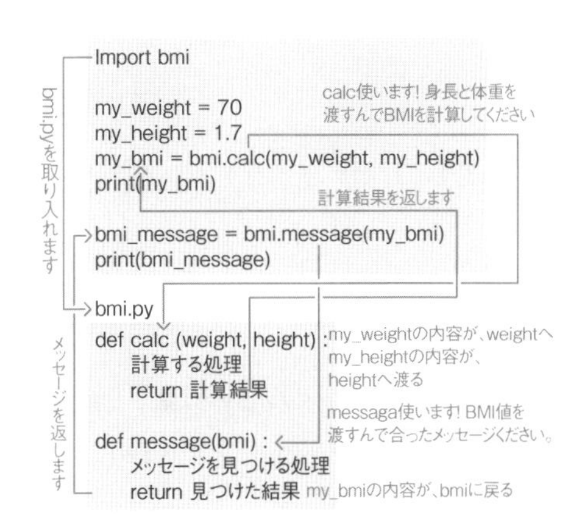

9日目 4/5 プログラムを動かすとき情報を渡すことができる！

プログラムを動かすとき、最初に使いたい情報を渡すことができます。これは大変地味な方法ですが、知っておいて損はありません。

情報を渡すって？

ほとんどの場合、プログラムを動かすために必要な情報は「プログラムの中（内側）」へ入力します。しかし場合によっては「プログラムの外側」から情報を提供しないと（渡さないと）いけないことが出てきます。

どういった場合に使うの？

例えば「名前」を表示したいプログラムの場合、いつも同じ人の名前ならプログラムの中に書いておけばOKです。

しかし、動かすたびに違っているなら、毎回プログラムの中の名前を書き直すのは面倒。また、面倒以外にもプログラムの中をさわるため、間違えて入力して動かなくなる可能性もあります。こういった場合にプログラムの外側から情報を渡します。

プログラムの外側から情報を渡す方法

この方法を専門的には「コマンドライン引数」といいます。

```
python 実行ファイル.py 引数1 引数2 引数3……
```

※「実行ファイル.py」と「引数」、「引数」と「引数」の間には半角空白が1つ以上必要です。

コマンドライン引数をプログラムで受け取る方法

sys.argv

必ずプログラムの先頭に「import sys」と入力し、外部モジュール「sys」を利用する宣言が必要です。

Let's Try 20 「外側からの情報」を使ってみよう！

以下のコードを入力して動かしてみましょう。

<コマンドライン引数を使ったPythonコード>

```
1  import sys
2  print(len(sys.argv)) #組み込み関数「len」で受け取った引数の数がわかります
3  print(sys.argv[0]) #0番目はプログラム名
4  print(sys.argv[1]) #1番目は1つ目の引数の内容
```

<入力例と表示された結果>

```
(studyAI) C:¥Users¥■■■ ■¥Documents¥pycvai>python p149.py 日比野新
2
p149.py
日比野新
```

※sys.argvは「リスト」です。0番目にはプログラム名、1番目には引数の1つめが入っています。

python p149.py 日比野新

プログラム名　引数

9 日目 5/5

【課題5】キッチンの最適な高さを計算しよう!

5回目の課題です!わからないことがあれば、「ヒント」を参考にしたり、これまで学んだページを見直そう!

課題の内容

P132で作成した【課題4】に対して、以下の課題を行い、最適なキッチンの高さを求める計算機を作成してみましょう。【課題4】で保存したファイル「kitchen_height_calc.py」をエクスプローラー(Macの場合はFinder)で保存場所を見つけ、テキストエディタで開いて課題を準備します。

STEP1 プログラムの外側から名前を受け取れるようにしよう!

コードの先頭にコマンドライン引数を使えるように宣言を入れます。

```
1  import sys
```

続いて名前が渡されているかチェックします。

```
2  if len(sys.argv)<2:
3      print('表示したい名前を指定してください。')
4      sys.exit()
```

名前が渡された場合、変数へ内容を代入します。

```
5  my_name = sys.argv[1]
```

名前を計算結果の表示メッセージに追加します。

```
6   #計算結果の表示メッセージ
7   kitchen_message = my_name + 'さんの最適なキッチンの高さ(そのn)
    は'
```

STEP2 おかしな結果を予測して対処しておこう!

例外処理を思い出してください。高さ情報を文字から浮動小数点に変換する直前から例外処理をスタートします。

```
8   try:
```

例外が発生した場合の処理をコードの最後に追加します。

```
9   except ValueError as e:
10      print('身長または今のキッチンの高さを見直してください。')
11      print(e)
12  except:
13      import traceback
14      traceback.print_exc()
```

※例外処理を追加した範囲には「字下げ」が必要だったことを思い出してください。字下げが正しくないとPythonでは動かなかったですよね。

※例外処理の内容については、今はこのまま「魔法の呪文」のように覚えておきましょう。最低限必要な処理を書いていますので、どのような場面でも利用することができます。

ここまで入力できたら保存して実行しましょう。プログラム名の後ろに名前を渡すのを忘れないでください。

```
python kitchen_height_calc.py <ここに名前>
```

```
身長(cm)を入力してください：170
今のキッチンの高さ(cm)を入力してください：90
-----
あなたの身長は170.0cmです。
-----
日比野新さんの最適なキッチンの高さ(その1)は90.0cmです。
最適な高さです
-----
日比野新さんの最適なキッチンの高さ(その2)は100.0cmです。
目安より低いようです
腰痛に注意しましょう
-----
```

STEP3 高さ計算と比較をモジュールにしよう！

テキストエディタで新しいファイルを開きます。そして以下のコードを入力しましょう。

<kitchen.py>

```
1  def calc1(height) :
2      #キッチンの高さの目安計算(その1)
3      #キッチンの高さ=身長[cm]÷2+5cm
4      kitchen = height / 2 + 5
5      return kitchen
```

以下の内容にしたがって保存します。

- **ファイル名：kitchen.py**
- **保存場所：ドキュメント/pycvai/ 〔mac：書類/pycvai〕**
- **保存形式〔文字コード〕：utf-8**

STEP4 高さ計算の2つめを追加しよう！

<kitchen.py>

```
6  def calc2(height) :
```

```
7       #キッチンの高さの目安計算（その2）
8       #キッチンの高さ=肘高cm－10cm
9       #肘高はおおよそ「身長[cm]－60cm」と言われています
10      kitchen = height - 60 - 10
11      return kitchen
```

STEP5 結果表示機能を追加しよう！

<kitchen.py>

```
12  def resultmessage(calc_kitchen, now_kitchen) :
13      #タプル
14      k_messages = (
15          ('最適な高さです', 'スリッパの厚みを変えて微調整してみましょう'),
16          ('目安より低いようです', '腰痛に注意しましょう'),
17          ('目安より高いようです', '肩こりに注意しましょう')
18      )
19      #今のキッチンの高さと比較し目安と同じなら適合
20      #それ以外なら高い・低いと表示する
21      if calc_kitchen == now_kitchen :
22          print(k_messages[0][0])
23          print(k_messages[0][1])
24      elif calc_kitchen > now_kitchen :
25          print(k_messages[1][0])
26          print(k_messages[1][1])
27      else:
28          print(k_messages[2][0])
29          print(k_messages[2][1])
```

ヒント

STEP3～5での字下げに注意しましょう。

ここまで入力できたら「kitchen.py」を保存します。

STEP6 外部モジュール「kitchen.py」を利用する宣言をしよう!

「kitchen_height_calc.py」をテキストエディタで開いて「import sys」の下に追加します。

```
1 import kitchen
```

STEP7 高さ計算(その1)をモジュールで計算し比較を表示しよう!

高さ計算（その1）の計算式をkitchenモジュールの関数に変更します。

<kitchen_height_calc.py>

```
2 #キッチンの高さの目安計算(その1)
3 kitchen1 = kitchen.calc1(height=human_height)
```

高さ計算（その1）の比較表示もkitchenモジュールの関数を使いましょう。

```
4 kitchen.resultmessage(calc_kitchen=kitchen1, now_
  kitchen=kitchen_height)
```

STEP8 高さ計算（その2）をモジュールで計算し比較を表示しよう！

高さ計算（その2）の計算式をkitchenモジュールの関数に変更します。

<kitchen_height_calc.py>

```
5    #キッチンの高さの目安計算(その2)
6    kitchen2 = kitchen.calc2(height=human_height)
```

高さ計算（その2）の比較表示もkitchenモジュールの関数を使おう。

```
7    kitchen.resultmessage(calc_kitchen=kitchen2, now_
     kitchen=kitchen_height)
```

Point

1つめと2つめの比較表示は、同じ関数を使っています。このように関数にすると必要なときに呼び出すだけでOK。何度も同じことを書かずに済みます。

ここまで入力できたら保存し、動かしてみましょう。

答え合わせ

次ページのように表示されれば成功です！

```
身長(cm)を入力してください：170
今のキッチンの高さ(cm)を入力してください：90
-----
あなたの身長は170.0cmです。
-----
日比野新さんの最適なキッチンの高さ(その1)は90.0cmです。
最適な高さです
スリッパの厚みを変えて微調整してみましょう
-----
日比野新さんの最適なキッチンの高さ(その2)は100.0cmです。
目安より低いようです
腰痛に注意しましょう
-----
```

課題5の正解コード

ここまで完成した2つのファイル

▶ kitchen_height_calc.py

▶ kitchen.py

それぞれの正解コードは完成版コードか以下のリンクから確認してください。

▶ https://021pt.kyotohibishin.com/books/aipg/contents3sub5

9日目のまとめ

- □ 組・リストを復習しながらタプルとの違いを理解しよう
- □ 例外処理はプログラムの精度を高める方法
- □ 例外処理を考えることは想定内を増やすことにつながる
- □ 同じことを何度も書かないのがプログラムの基本
- □ だから外部モジュール化は大事な考え方
- □ 引数や戻り値という言葉を復習しよう
- □ コマンドライン引数は登場回数が多いので覚えておこう

第 4 章

AIプログラミングの代表「画像検出」をやってみよう!

10 日目 1/5

AIプログラミングの代表が画像検出である理由

Pythonの基礎が終わりましたので、いよいよAIプログラミングに入っていきます。でもどうして画像検出なのでしょう?

現在は第三次AIブーム

42ページで「AIには過去二度のブームがあった」ことをお話しました。そしてここ2、3年は「第三次AIブーム」が続いています。過去のAIブームが「結局何に使えるの?」という疑問に答えられなかったため終焉を迎えましたが、今回はそれなりに継続しているといえます。

AIブームの火つけ役

なぜ第三次AIはブームが継続しているのでしょうか。それは、インターネットの普及によって大量のデータ(ビッグデータ)が手に入るようになり、機械学習の技術を発展させることができるようになったから。その結果、**ディープラーニング(深層学習)**と呼ばれる技術が生まれ発展し、AIブームに火をつけたのです。

ディープラーニングによる画像関連技術の飛躍

AIブームの火つけ役「ディープラーニング」。この技術を2012年にGoogleの研究チームが使い、1000万枚もの画像で学習させて「猫」を認識させました。この結果により、ディープラーニングの技術が画像関連技術へ応用され、AIは実用化へ向けて走り始めました。

画像検出はAIの基本機能

画像検出は人間の「目」に相当する機能です。今後AIでロボットや機械などを知能化するためには、もっとも多くの情報を取り入れられる「視覚」に相当する機能を使わなければなりません。視覚による判断ができるからこそ、回りの状況も素早く理解でき、最適な方法を導き出すことができます。画像検出はAIの基本機能なのです。

暮らしの中にとけ込む画像検出

画像検出は「目」ですから活用範囲が広く、ロボットや工場などにも利用されています。さらに次のようなシーンでも活用されています。

- **スマートフォンのセキュリティロック**(顔で本人かどうか判別)
- **SNSでの人と名前のタグづけ**(自動的にタグの候補を出してきます)
- **車の自動運転システム**(信号の色や人を判断し運転を制御)
- **CT画像から病気を見つける**(パターン認識で見つけます)
- **手書き文字の判別**(郵便などで活用されています)
- **指紋認証**(CSIなど犯罪捜査系ドラマで見かけるやつですね)
- **顔認証**(こちらもCSIなどで見かけます)
- **静脈認証**(オフィスの鍵代わりにもなっています)
- **RPA**(画面の内容やボタンを自動判別して作業を自動化しています)

実用化されているものから試験中のものまでありますが、画像検出は今後もAIの代表的機能として活用される場面が増えるでしょう。つまり、仕組みの基本を理解し身につけておいて損のないスキルだともいえますね。

10日目 2/5 画像検出ってなんですか?

このように頭の中でつぶやかれた人もいるでしょう。そこで画像検出とは何なのか、何をしているのか。そしてこの章で学ぶことは何なのかの概要をお話します。

この章で学ぶこと

第3章で学んだPythonと画像を簡単に扱うことができる機能のカタマリを使って、次のようなことを学んでいきます。

1 画像を描いて遊んでみる

円や四角を描きます。この学びは、最終的なゴールである「顔検出」のときに活用する技術を習得する目的があります。

2 画像を加工して遊んでみる

画像を表示し、大きさを変化させたり回転したりします。また表示の状態を加工したりもします。

3 画像から特徴を検出してみる

画像から輪郭や角を抜き出します。この方法を学ぶことでAIの代表的な機能である「顔検出」の仕組みを学びます。

4 人の画像から顔と目を検出します

いよいよ「顔検出」「目の検出」を行います。人が写っている画像から「顔はココです」「目はココです」というように、プログラムに見つけさせます。

5　2つの画像から似た部分を見つけます

この方法は車の自動運転などにも活用されている技術です。体験しておくことで仕組みが理解できるでしょう。

画像検出って何？

画像検出とは、対象の画像から顔や目、文字などを読み取ること、画像が人か動物か風景かの判断をコンピュータにさせることをいいます。

画像検出には、**「画像を理解する」「似た画像の位置を見つける」「似た画像を探して分類する」**という大きく分けて3つの役割があります。

1　画像を理解する

本章のゴールである顔検出です。画像から特徴を見つけ出し、エンジニアが認識対象の性質を教えた情報を使うことで「顔」「目」などを見つけます。「教師あり機械学習」と呼ばれる方法を使います。活用されているシーンとしては、デジカメの焦点、監視カメラ、運転支援などがあります。

2　似た画像の位置を見つける

こちらも本章のゴールであるマッチングという方法です。対象の画像を使って、どこに似た部分があるのか、またはないのかを見つけます。活用されているシーンとしては、自動運転があります。

3　似た画像を探して分類する

第5章のゴールである「教師なし機械学習」と呼ばれる方法です。エンジニアが前もって認識対象の性質を教えなくても、コンピュータ自らが学習し判別する方法です。活用されているシーンとしては、大量画像の分類や似た画像の検索があります。

10 日目 3/5

画像検出に欠かせない機能を追加しよう！

AIの代表的な機能「画像検出」プログラムを作るために必要な機能を追加します。

開発環境へ天才が用意してくれた機能を追加しよう

以下のステップに従って「OpenCV」と呼ばれる機能を追加しパワーアップさせます。「OpenCV」については166ページで詳しく説明していますが、まずはこの機能をご自身のPCに追加するところから始めましょう。

STEP1：インターネットに接続できることを確認し、Anaconda Navigatorを起動します。

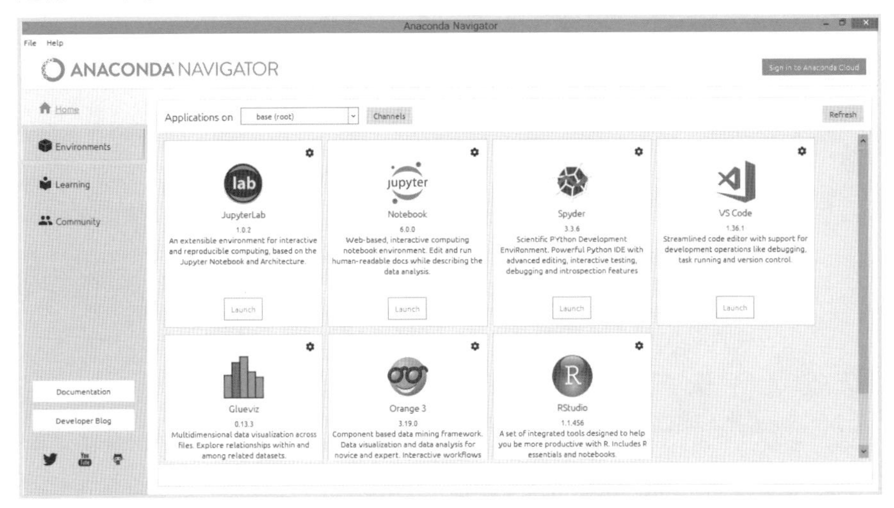

左にある「Environments」をクリックし、その中からstudyAIを選びます。

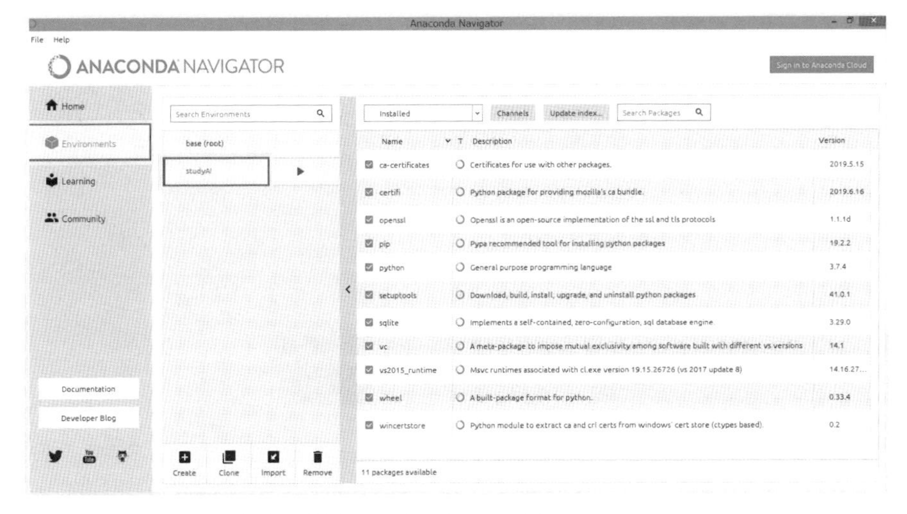

ここまでは、これまでの学習で行ったのと同じです。

STEP2：studyAIの▶をクリックし「Open Terminal」を選びターミナルを表示します。

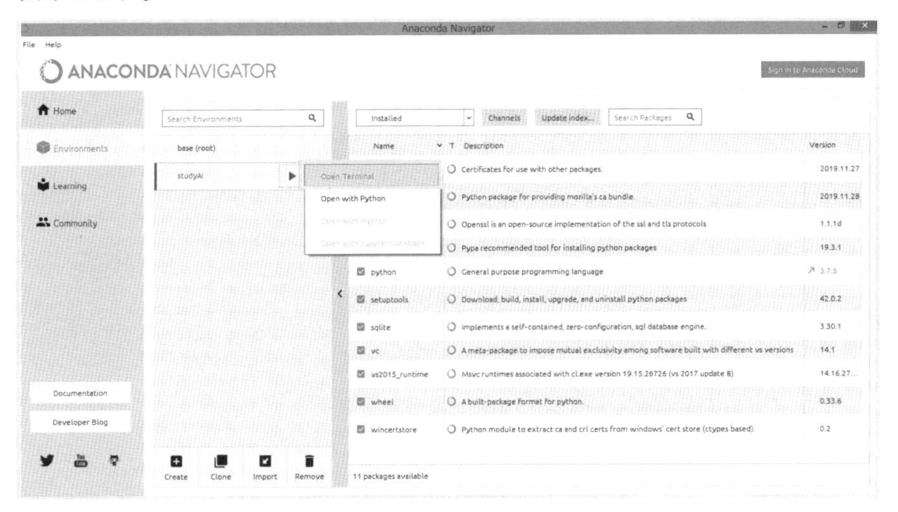

STEP3：ターミナルに以下の内容をキーボードから入力します。すべて半角文字で入力します。単語と単語の間の空白や半角記号の「=」が2つ続いているところ、数字が「.(ピリオド)」で区切られているところに注意しながら落ち着いて入力してください。

```
conda install opencv==3.4.2
```

```
(studyAI) C:¥Users¥    >conda install opencv==3.4.2
```

※Windowsのターミナルで入力した例

入力ができれば、もう一度内容を確認しOKであれば「Enterキー」を押します。STEP4の画面にならない場合は、本書特設ページの「追加情報やQ&A」を参考にしてください。

▶ **https://021pt.kyotohibishin.com/books/aipg/knowledge-faq/**

STEP4：すると次のような画面が表示され、しばらくすると「Process ([y]/n)?」と入力を待っている状態になりますので、半角英字の「y」を入力し「Enterキー」を押します。

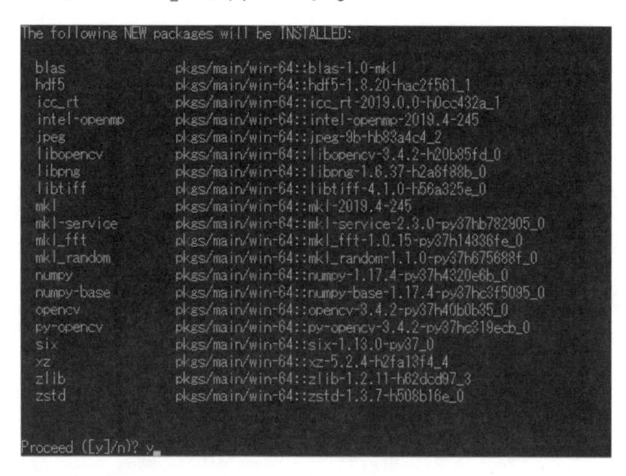

※画面はWindowsです。

※表示される内容はOSや環境によって変わることがあります。

STEP5：追加機能のインストールがスタートします。インストールが終わると下の画面のようになります。それまで少しお待ちください。
下のような内容が表示されプロンプトに戻ったら、一度ターミナルを終了します。

```
Preparing transaction: done
Verifying transaction: done
Executing transaction: done

(studyAI) C:¥Users¥      >
```

※画面はWindowsです。

STEP6：Anaconda Navigatorを一度終了します。10秒くらい待ってから、もう一度Anaconda Navigatorを起動します。Anaconda NavigatorのEnvironmentsからstudyAIを選び、画面上部の右横の「Search Packages」へ「opencv」と入力します。すると、以下のような表示に変化します。

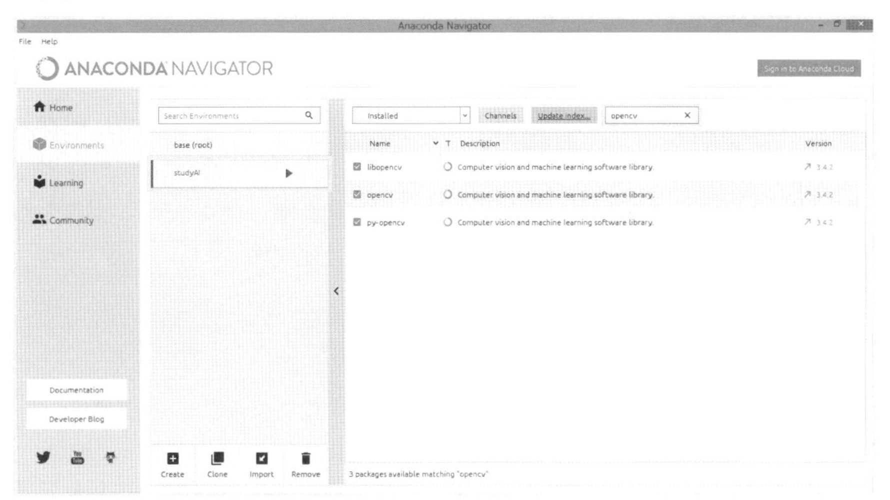

画像検出で使う機能が追加されたことを確認できました。

10
日目
4/5

OpenCVについて知ろう!

画像処理には大変複雑な計算や多様な処理が必要です。こういった難しそうなことを簡単にするOpenCVについて見ていきましょう。

OpenCVとは

なぜAIプログラミングでOpenCVが必要なのか。それは第三次AIブームを巻き起こす理由となったAIの代表的機能である「画像検出」をこれから学んでいくためです。

OpenCVとは「Open Source Computer Vision Library」の略です。

OpenCVは「インテル入ってる」で有名なCPUやグラフィックチップメーカー「インテル」が開発した**「画像処理」「画像解析」および「機械学習」の難しい機能を、誰でも簡単に使えるようにまとめて整えたプログラムの集まり**です。

いうなればグラフィック(画像や映像)の専門家集団の中の天才が、私たちのために用意してくれた、大変優れた無料の魔法の杖なのです。

▶ OpenCV公式サイト:https://opencv.org/

OpenCVの特徴

OpenCVは誰にでも使える機能です。画像検出に必要な複雑で難解な計算や統計学の専門知識がない人でも、画像を処理するプログラムを作ることができます。また話題のPythonから初心者でも簡単に使えることもOpenCVの特徴の1つだといえるでしょう。

もしOpenCVがなく、同じような機能をゼロから私たちが作ろうとすると大変を通り越し、脳がオーバーヒートして意識がなくなる可能性もあります。

また機械学習で使われることが多い「TensorFlow(テンソルフロー、またはテンソーフローと読みます)」で画像検出を行うことも可能ですが、こちらは数学の理解が必要なので、私たちが簡単に手を出すのは難しいと感じています。

一部の数学が得意な人ならOpenCVを使う必要はありませんが、文系の人ならあらかじめ用意された高度な機能を使ったほうが圧倒的に効率的ですので、まずはOpenCVで実体験をし、さらに高度な仕組みが必要になったときには「TensorFlow」など、その時々の最新技術へ飛び込んでもらうのがいいでしょう。

OpenCVの機能

OpenCVには、次のような機能があります。ややこしい言葉も出てきますので「フーン」くらいに覚えておいてください。

- **画像ファイルを読み込んで表示できる**(もっとも基本的な機能です)
- **画像をファイルへ保存できる**(これも基本です)
- **直線や曲線を描ける**
- **画像へ文字を描ける**
- **画像にフィルタ処理して加工できる**(モザイク、ネガポジ化など)
- **画像の特徴を抽出できる**(機械学習に必要!)
- **画像のパターン認識もできる**
- **機械学習処理もできる**

他にもまだまだ機能はありますが、今回使う部分だけ紹介しました。たった数行コードを書くだけで、OpenCVはこんなことができるのです。

10日目 5/5 デジタル画像の基礎を学ぼう!

AIプログラミングで画像検出を行ううえで知っておきたいデジタル画像の仕組みについて紹介するよ!

色彩豊かに見える理由

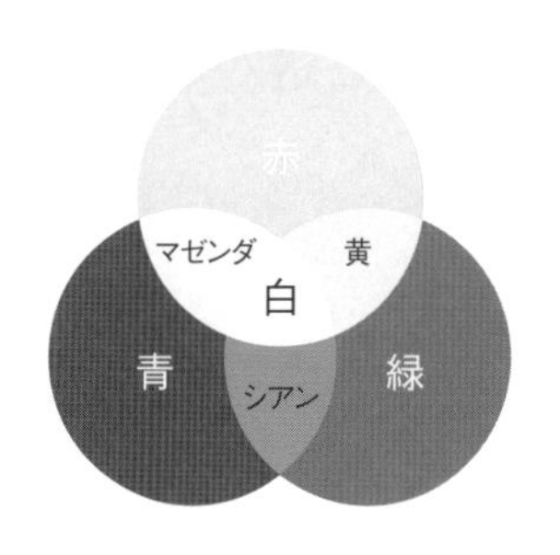

普段私たちが目にしている色。実は3つの色「R(赤)、G(緑)、B(青)」それぞれの強弱をどう感じたかで脳が判断しています。

RGBは色の「三原色」と呼ばれ、3色を混ぜ合わせることで人工的に人間の目に見える色を作り出すことができます。

RGBとデジタル画像

スマホで簡単に撮影できるデジタル画像も、RGBによって色を作り出すことで写真になっています。

画像を拡大するとわかりますが、デジタル画像はRGBそれぞれの割合を示した細かな情報(ピクセル)が集まっています。

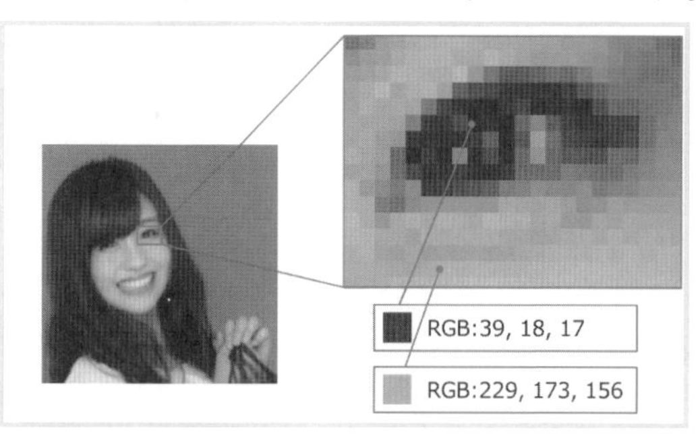

ピクセルで色を表現する方法

デジタル画像は「ピクセル」と呼ばれる小さな1マスの集まりです。この1マスごとの色を表現するためには、RGBそれぞれに0〜255までの数字を使います。数字は0がもっとも濃淡が淡く、255がもっとも濃くなります。

例えば、色の三原色の方式に合わせて考えると次のようになります。

黒：RGB(0, 0, 0)
白：RGB(255, 255, 255)
赤：RGB(255, 0, 0)
緑：RGB(0, 255, 0)
青：RGB(0, 0, 255)
黄：RGB(255, 255, 0)

※RGBの数値を少しずつ変えていくことで、人間の目で判別できる自然なカラー画像を表現することができます。

デジタル画像は数字の集まり

このように、私たちが日頃見ている画像の正体は、小さな1マスの色情報が数字に変換されて集まったものです。イメージとしてはエクセルのシートがデジタル画像、セルが小さな1マス「ピクセル」。1つのセルにRGBを数字に変換した色情報が入っていると考えるとわかりやすいでしょう。

数字だからコンピュータで扱える

画像がデジタル化されたことで、情報が数字になり、縦と横へ整然と並ぶようになりました。こういう形式になると、コンピュータは扱うのが得意になります。1マスごとの数字情報を単純な繰り返しやルールに沿って処理するだけなので、計算機としての性質を存分に発揮できるのです。

人は物体の意味を理解　　コンピュータは数字の集まりとして処理

画像には種類がある

画像は、1マス単位の数字情報が集まってできています。そして、情報の集め方によって種類が変わってきます。

JPEG(ジェイペグ):拡張子は「.jpg」「.jpeg」

Joint Photographic Experts Groupの略です。非可逆圧縮形式と呼ばれる方式で保存されています。デジタルカメラで撮影した写真などに適しています。

PNG(ピング):拡張子は「.png」

Portable Network Graphicsの略です。可逆圧縮形式と呼ばれる方式で保存されています。フルカラーや半透明など豊かな表現が可能です。美しい風景画像やイラストなどに使われることが多いです。

GIF（ジフ）：拡張子「.gif」

Graphics Interchange Formatの略です。可逆圧縮形式と呼ばれる方式で保存されています。256色以下で作られた画像です。ロゴなど色彩の豊かさに影響しないところで使われることが多いです。

BMP（ビーエムピー）：拡張子「.bmp」

Microsoft Windows Bitmap Imageの略です。もとはMicrosoft Windowsのための画像形式でした。画像情報を小さくする「圧縮」という技術を使っていないので、画像の容量が大きくなります。拡大しても美しい画像が必要な場合に向いています。

TIFF（ティフ）：拡張子「.tif」「.tiff」

Tagged Image File Formatの略です。こちらも画像情報を圧縮しない方式なので、大きなサイズの画像が必要な場合に向いています。デジタルカメラの保存形式にも「TIFF」を持っているカメラがありますが、TIFFでの撮影が必要なのはプロカメラマンくらいでしょう。

これらが一般的に使われる（私たちが目にすることの多い）画像の種類です。**JPEG、PNG、GIFは画像ファイルの容量が小さくなるためインターネットでの使用に向いています**。ブログやSNS、メールに添付して送る場合は、この3つのうちのどれかになっています。BMP、TIFFは画像ファイルの容量が大きくなるため、画像を扱うプロに使用されることが多いです。

10日目のまとめ

- ☐ 画像検出は今回のAIブームと切り離して考えることはできない
- ☐ OpenCVを使うと簡単にAIプログラミングが体験できる
- ☐ デジタル画像が画像検出に向いている理由を知っておこう

11日目 1/7 円を描いて遊ぼう!

まずはOpenCVの基本機能の1つである「円の描画」です。何もないキャンパスへ円を描いて遊びましょう。

円を描く理由

なぜ円を描くのでしょう。その理由はキャンパスを準備し、その上に円を描くことで画像を扱うプログラミングの基本がわかるから。

そしてもう1つの理由は、画像検出をするとき「ここが検出場所ですよ」と示すための記号として「円」を利用するからです。

用意されたモジュールを使う方法

```
import cv2   #OpenCVの機能を使う
import numpy #キャンパス作成用
```

※P144で学んだ「モジュール」を思い出しましょう。

黒色のキャンパスを作る方法

```
画像 = numpy.zeros(キャンパスのサイズとチャンネル数, データ型)
```

- キャンパスのサイズ：縦横サイズを単位「ピクセル」で指定
- チャンネル数：カラー画像は「3」を指定
- データ型：「numpy.uint8」を指定

円を描く方法

```
cv2.circle(円を描く対象の画像, 円の中心座標, 半径, 色)
```

円を描く対象の画像：作ったキャンパス
円の中心座標：XとY座標をピクセルで指定
半径：半径をピクセルで指定
色：RGBで指定

描いた内容を表示する方法

```
cv2.imshow('表示窓のタイトル', 画像)
```

この方法で円を描いた画像が表示されますが、このままでは一瞬表示されるだけですぐに閉じてしまいます。これでは結果を見ることができません。そこで、次の方法を取り入れておきます。

画像の表示窓をゆっくり見る方法

```
cv2.waitKey(0) #スペースキーを押すまで待っている
cv2.destroyAllWindows() #表示窓を閉じて終了
```

この2行を追加しておくことで、画像が表示されたまま閉じずに待ってくれます。ゆっくり結果を見た後は、キーボードからスペースキーを押すと窓が閉じます。

Let's Try 21 円を描いてみよう!

以下のコードを書いて、動かしてみましょう。

<円を描いて表示するPythonコード>

```
1  import cv2
2  import numpy

3  img = numpy.zeros((500, 500, 3), numpy.uint8)

4  cv2.circle(img, (250, 250), 200, (0, 200, 255))

5  cv2.imshow('View Circle', img)
6  cv2.waitKey(0)
7  cv2.destroyAllWindows()
```

3行目で縦横500px(pxとはピクセルを表しています)の正方形キャンパスを作っています。背景色は黒です。

4行目で円を描いています。円の中心はX、Yともに250pxの位置なので、キャンパスの真ん中。半径が200pxで、色は「B＝0、G＝200、R＝255」を指定しました。

ここまで入力できたら保存します。「Anaconda Navigator」が起動していることを確認します。起動していない場合はP65を参考にして起動します。

起動が確認できたら左端の「Environment」から「studyAI」をクリック。「studyAI」から「Open Terminal」を選択します。

ヒント

不安な場合はP73を参考にしてみよう!

ターミナルへキーボードから以下のように入力しEnterを押し、カレントディレクトリを移動します。

```
cd documents/pycvai
```

さあ、画像を表示してみましょう。ターミナルへこれまでと同じように入力してプログラムを動かします

※最初動かしたときは表示されるまで時間がかかるかもしれません。少し待ってあげてください。

<表示された結果>

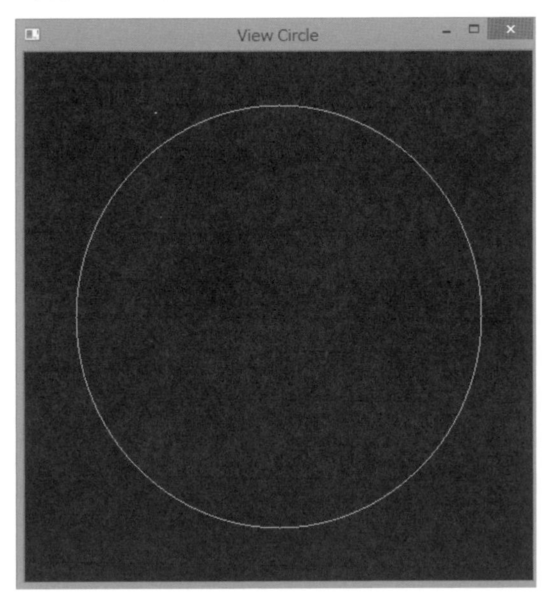

表示されたら空白キー(スペースキー)を押して窓を閉じます。

11日目 2/7 四角を描いて遊ぼう！

円の次は四角です。何もないキャンパスへ四角を描いてみましょう。

四角を描く理由

円と同じように四角にも描く理由があります。その理由は、画像検出をする中で「顔」や「目」を見つけだし「ここですよ」と示すために「四角」を利用するからです。

四角を描く方法

```
cv2.rectangle(四角を描く画像, 左上座標, 右下座標, 色, 太さ, 種類)
```

- **四角を描く画像：円と同じくキャンパス**
- **左上座標：四角の開始点を「XとY」座標で指定**（ピクセル）
- **右下座標：四角の終了点を「XとY」座標で指定**（ピクセル）
- **色：RGBで指定**
- **太さ：線の太さを指定**（1以上で少しずつ太くなる）
- **種類：標準的な線は「4」を指定**

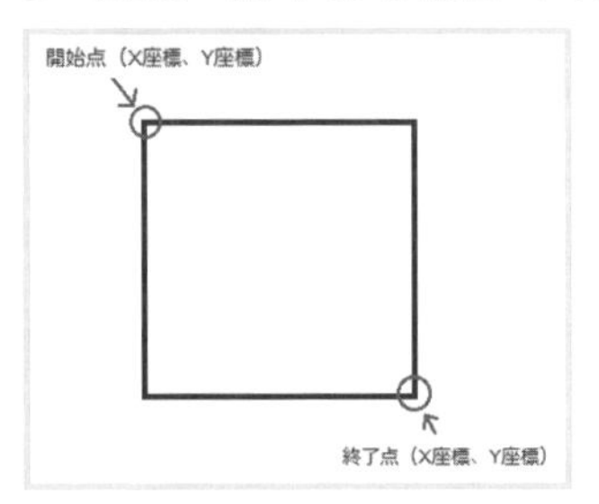

Let's Try 22 四角を描いてみよう！

以下のコードを書いて、動かしてみましょう。「.」「,」「:」を間違えないように！

<四角を描くPythonコード>

```
1  import cv2
2  import numpy

3  img = numpy.zeros((500, 500, 3), numpy.uint8)

4  img[:,:] = [255, 255, 255]

5  cv2.rectangle(img, (200, 50), (300, 150), (0, 0, 200), 3, 4)

6  cv2.imshow('View Rectangle', img)
7  cv2.waitKey(0)
8  cv2.destroyAllWindows()
```

今回は4行目でキャンパスの色をRGBで「白」を指定しています。

ここまで入力できれば保存し、円を描いたときと同じ手順で動かして見ましょう。

<表示された結果>

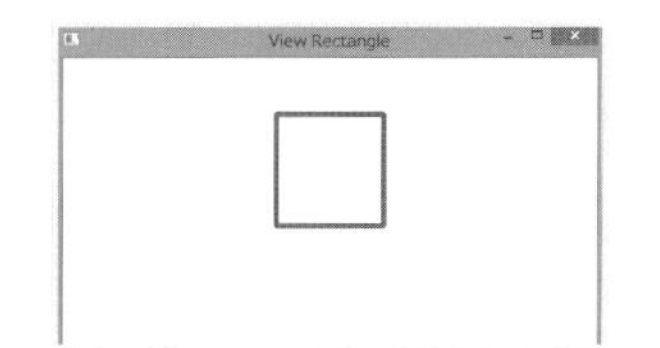

窓を閉じるには空白キーを押します。

11日目 3/7 トラブルに遭遇したら……

これから学んでいく中で「あっ！ やっちゃった」が起こっても慌てない方法を身につけます（Windowsの場合だけです）。

どんな「やっちゃった」が起こるのか

円と四角を描き表示している画面を終わるとき、空白キー（スペースキー）を押してもらっています。しかし、ついついマウスを持ってしまい表示しているウィンドウの右上にある「×」をクリックして閉じてしまうことがあります。そうすると、表示していたウィンドウは閉じますが、ターミナルを見るとプログラムが終了していません。

何が起こっているのでしょう

表示が閉じたのにプログラムが終わらない。これは、ウィンドウは閉じたのですが、キーボードから空白キーが押されることをプログラムが待っているから。このまま放っておくと何時間でも何日でも待っています。

対処法を覚えておこう!

次の方法で簡単に回避できます。

ターミナルの右上にある「×」をマウスでクリックする

Let's Try 23 トラブルに遭遇しよう!

P177を見直しながら、作ったプログラムを動かします。

四角が表示されたら、表示しているウィンドウの上にある「×」をマウスでクリックします。Macは左上の「×」をクリックできませんのでトラブルに遭遇できません。

ターミナルを見るとキーボードからの入力を待っています。でもキーボードから何も入力できません。

マウスで黒い画面の右上「×」をクリックして閉じます。

もう一度ターミナルを開いて、四角を描いてみましょう。次はキーボードの空白キーを押します。そうすると四角を表示していたウィンドウが閉じ、ターミナルが入力できる状態に変わります。

もし「やっちゃった!」となったときは、このページを思い出してください。

11日目 4/7 画像を表示しよう!

今度は画像を表示します。この方法は今後の学習で常に必要になってきます。

画像を表示する理由

この章のゴールは「顔検出」でした。ということは顔が写っている画像を表示できないと、検出できているのかどうか判断することができません。

画像を表示する方法

```
cv2.imread(画像ファイル名)
```

▶ **画像ファイル名：表示したい画像ファイルの場所と名前を指定**

Let's Try 24 「画像を表示」しよう!

Let's Tryで使用する画像は【課題1】でダウンロードしたzipファイルを展開したときに作成された「progai/facefound/images」に「girl01.jpg」という名前の画像ファイルが入っています。「ドキュメント/pycvai/(Mac：書類/pycvai)」の中へ画像ファイルをコピーします。

Point

・画像ファイルは移動ではなくコピーしてください。

以下のコードを書いて、動かしてみましょう。

<画像ファイルを表示するPythonコード>

```
1   import cv2

2   try:
3       img = cv2.imread('girl01.jpg') #画像ファイルを指定

4       if img is None:
5           raise ValueError('ファイルが見つかりません。')

6       cv2.imshow('Photo', img)
7       cv2.waitKey(0)
8       cv2.destroyAllWindows()
9   except ValueError as e:
10      print(e)
11  except:
12      import traceback
13      traceback.print_exc()
```

Point

条件分岐や例外処理が含まれていますので字下げに注意しましょう。

<表示された結果>

11 日目 5/7

画像の上に円と四角を描いてみよう!

画像を表示しました。今度は画像の上に円と四角を重ねて描きます。

画像に円や四角を重ねる理由

顔検出を行った結果、顔の部分に円や四角を描くことで「ここですよ」と示すことができます。そのためには、画像の上に円や四角を重ねて描けないといけないのです。

画像に円や四角を重ねて表示する方法

これまで学んできた内容を複合して使うだけです。使う命令は次の3つ。

cv2.imread → 画像ファイルを読み込む
cv2.circle → 円をキャンバスの画像へ描く
cv2.rectangle → 四角をキャンバスの画像へ描く

Let's Try 25 「画像の上に円と四角」を描こう!

以下のコードを書いて、動かしてみましょう。

<画像の上に円と四角を描くPythonコード>

```
1 import cv2

2 try:
```

```
3      img = cv2.imread('girl01.jpg')

4      if img is None:
5          raise ValueError('ファイルが見つかりません。')

6      cv2.circle(img, (250, 250), 200, (0, 200, 255), 3)
7      cv2.rectangle(img, (400, 50), (500, 150), (0, 0, 200), 3, 4)

8      cv2.imshow('Photo+Circle+Rectangle', img)
9      cv2.waitKey(0)
10     cv2.destroyAllWindows()
11   except ValueError as e:
12     print(e)
13   except:
14     import traceback
15     traceback.print_exc()
```

Point

プログラムを動かす方法は「画像を表示」と同じ手順です。
今回も条件分岐や例外処理が含まれています。字下げに注意です。
キャンパスの代わりに読み込んだ画像をキャンパスとして使っています。

<表示された結果>

11 日目 6/7

画像の中心に円と四角を描いてみよう!

今度は画像の中心に合わせて円と四角を重ねて描きます。
中心の求め方を理解しましょう。

画像を扱うと、中心点（中心の座標）を求めることがあります。

そこで、どうやって求めればいいのかを紹介します。特に難しい計算をするわけではありません。

画像の中心を求める方法

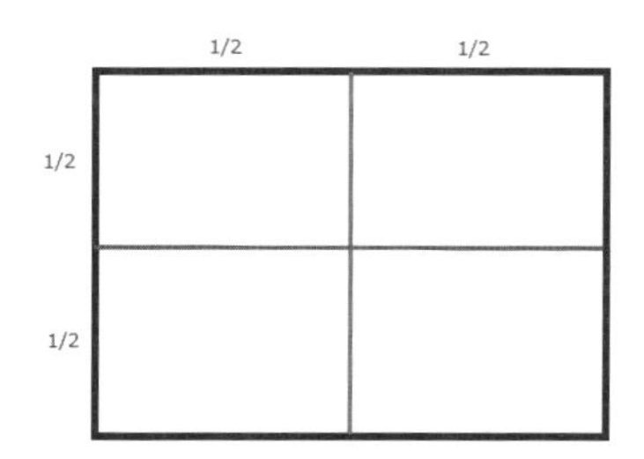

画像の縦サイズと横サイズを1/2し、交差したポイントが中心座標です。

Let's Try 26 「画像の中心に合わせて円と四角」を描こう!

以下のコードを書いて、動かしてみましょう。

<中心を計算して合わせるPythonコード>

```
1  import cv2

2  try:
3      img = cv2.imread('girl01.jpg')
```

```
4      if img is None:
5          raise ValueError('ファイルが見つかりません。')

6      img_height = int(img.shape[0] / 2) #画像の縦1/2
7      img_width = int(img.shape[1] / 2) #画像の横1/2

8      cv2.circle(img, (img_width, img_height), 200, (0, 200, 255), 3)
9      cv2.rectangle(img, (img_width - 50, img_height - 50), (img_
   width + 50, img_height + 50), (0, 0, 200), 3, 4)

10     cv2.imshow('Photo+Circle+Rectangle Center', img)
11     cv2.waitKey(0)
12     cv2.destroyAllWindows()
13 except ValueError as e:
14     print(e)
15 except:
16     import traceback
17     traceback.print_exc()
```

Point

四角は左上と右下の座標を指定します。そのため画像の中心よりも左上はマイナス、右下はプラスの数字になります。

<表示された結果>

11日目 7/7 画像の上に文字を描いてみよう!

円や四角の次は、画像の上に文字を重ねて描きます。

文字を重ねて描く理由

顔の検出を行ったとき、顔が見つからないこともあります。そういった場合、検出対象とした画像の上に結果のメッセージをつけて表示すると、検出できたかどうかなど、画像を見るだけでは判断できないことがわかりやすく伝えられるようになります。

文字を描く方法

```
cv2.putText(文字を描く画像, 描く文字, 表示する座標, 文字の種類, 文字サイズ, 色, 文字描画の線の太さ)
```

- **文字を描く画像：キャンパス**
- **描く文字：描きたい文字列を指定**
- **表示する座標：文字を表示する開始点をXとYの座標で指定**（ピクセル）
- **文字の種類：フォント**（エクセルやワードでもありますね）
- **文字サイズ：文字の大きさを指定**
- **色：RGBで指定**
- **文字描画の線の太さ：1から順に増えるにしたがって太くなる**

Let's Try 27 「画像の上に文字」を描こう！

P181のコードを元にして次のように入力し、保存したら動かしてみましょう。

P181のコードの5行目と6行目の間へコードを追加します。インデントは6行目に合わせましょう。がんばって入力してください。

```
1  cv2.putText(img, 'When do you drink a smoothie?', (20, 50), cv2.
   FONT_HERSHEY_COMPLEX, 1.1, (0, 0, 255), 2)
```

P181のコードの6行目を以下のコードに入力しなおします。

```
2  cv2.imshow('Photo+Text', img)
```

<表示された結果>

11日目のまとめ

条件分岐や例外処理を思い出そう
字下げに注意しよう
トラブルで慌てない方法を頭の片隅においておこう
天才が用意してくれた機能を使うと簡単にプログラムできる

12日目 1/1 【課題6】画像を選んで表示しよう！

6回目の課題です！ わからないことがあれば、「ヒント」を参考にしたり、これまで学んだページを見直そう！

課題の内容

P180で画像ファイルを表示するプログラムを作りました。このプログラムへ以下の課題を行い、プログラムを実行するときに好きな画像ファイルを指定するようにしてみましょう。

STEP1 準備しよう！

テキストエディタを起動し新規作成を選んだら、まずは使いたい外部のモジュールを入力しましょう。ヒントはP148のコマンドライン引数と、P180で使っている画像処理に関するモジュールを指定することです。

```
1  import sys
2  import cv2
```

入力を終えたら保存します。保存先の情報は以下のとおりです。

- **ファイル名：image_viewer.py**
- **保存場所：ドキュメント/pycvai/ （Mac：書類/pycvai）**
- **保存形式（文字コード）：utf-8**

※保存の仕方に不安があるときは、P88を参考にしてみましょう。

STEP2 画像ファイルが指定されているかチェックしよう!

```
3  if len(sys.argv)<2:
4      print('表示したいファイル名を指定してください。')
5      sys.exit() #ファイルが指定されていないので強制終了
```

STEP3 渡された画像ファイル名を受け取ろう!

```
6  file = sys.argv[1]
```

STEP4 画像ファイルが表示できなかったときの対策をしよう!

ヒント

P142で学んだ「例外処理」を思い出しましょう。

```
7  try:
8  except ValueError as e:
9      print(e)
10 except:
11     import traceback
12     traceback.print_exc()
```

STEP5 画像ファイルを読み込もう!

```
13 img = cv2.imread(file)
```

ヒント

例外処理「try〜except」の間に入力します。字下げが必要だったことも思い出してください。

STEP6 画像が読めなかったらエラーにしよう!

ヒント

P120の「条件分岐」です。

```
14  if img is None:
15      raise ValueError('ファイルが見つかりません。')
```

今回は「もし読み込んだ画像が空だったらエラーを発生させます」というif文を書きます。「もし＝if」「画像が空だったら＝img is None」「エラーを発生＝raise ValueError('ファイルが見つかりません')」。
字下げにも注意してください!

STEP7 画像の表示を入力しよう!

```
16  cv2.imshow(file, img)
17  cv2.waitKey(0)
18  cv2.destroyAllWindows()
```

ここまで入力できれば保存し、これまでと同じようにターミナルから動かします。

```
python image_viewer.py girl01.jpg
```

入力できたらEnterキーを押します。

答え合わせ

以下のように表示されているか確認しましょう。

他の画像を準備しよう!

【課題1】でダウンロードしたzipファイルを展開したときに作成された「progai/facefound/images」に以下の画像ファイルが入っています。「ドキュメント/pycvai/ (Mac：書類/pycvai)」の中へ画像ファイルをコピーします。

- girl02.jpg
- girl03.jpg
- girl04.jpg
- mt-girlface.jpg

他の画像を表示しよう!

ターミナルから次のように入力して、それぞれの画像を表示してみよう。

```
python image_viewer.py <ここに表示したい画像ファイルの名前>
```

例1）python image_viewer.py girl02.jpg

例2）python image_viewer.py girl03.jpg

例3）python image_viewer.py girl04.jpg

　このように、プログラムの内容は何も変えないまま、外側から画像ファイルを指定するだけで表示することができます。プログラムは同じことを繰り返すのが得意なのです。

課題6の正解コード

```
1   import sys
2   import cv2
3
4   if len(sys.argv)<2:
5       print('表示したいファイル名を指定してください。')
6       sys.exit() #ファイルが指定されていないので強制終了
7
8   file = sys.argv[1]
9
10  try:
11      img = cv2.imread(file)
12
13      if img is None:
14          raise ValueError('ファイルが見つかりません。')
15
16      cv2.imshow(file, img)
17      cv2.waitKey(0)
18      cv2.destroyAllWindows()
19  except ValueError as e:
20      print(e)
21  except:
22      import traceback
23      traceback.print_exc()
```

12日目のまとめ

表示したい画像を指定する方法はよく使うので理解しよう
指定した画像ファイルが存在しない場合の手法も理解しよう

13日目 1/5 画像の大きさを変化させよう!

画像の大きさを変えてみます。これを「リサイズ」と呼びます。

画像の大きさを変化させる理由

画像が大きすぎると、必要な情報を探すとき、たくさんの情報を見ないといけないので時間がかかります。そういった場合、画像の大きさを変化させることで小さくし、見つける範囲や時間を少なくできます。

画像の大きさを変化させる方法

```
cv2.resize(画像, 拡大・縮小したときの大きさ)
```

画像：大きさを変化させたい画像
拡大・縮小したときの大きさ：横と縦のサイズを指定（ピクセル）

Let's Try 28 「画像の大きさ」を変えてみよう!

【課題6】（P193）のコードを元にして次のように入力し、保存したらターミナルから動かしてみましょう。インデントに注意してください。

P193のコードの16行目の上に以下のコードを追加で入力します。

```
1  RESIZE_SCALE = 0.5 #リサイズしたい倍率
2  img_height = img.shape[0] #元画像の縦サイズ
```

```
3    img_width = img.shape[1] #元画像の横サイズ
4    effect = cv2.resize(img, (int(img_width * RESIZE_SCALE),
     int(img_height * RESIZE_SCALE)))
```

P193のコードの16行目を以下のコードへ入力しなおします。

```
5    cv2.imshow(file, effect)
```

<表示された結果>

画像ファイルに「girl02.jpg」を使ってみました。
左側は元の大きさの画像です。右側の小さい画像が今回の表示結果です。

Point

半角の大文字は「定数」を表していたことを思い出しましょう。
今回は元画像の0.5倍のサイズにしています。
画像のサイズは「shape」でわかります(0番目が縦、1番目が横)。
0.5倍しているので浮動小数点になりますが必要なのは整数なので
型を「int()」で変えていることにも注意しましょう。

他の画像ファイルでも試してみましょう。

13日目 2/5 画像の横幅を決めて大きさを変化させよう!

画像の横幅を決めて大きさを変えてみます。1つ前の倍率とは違ったリサイズ方法です。

画像の横幅を決めて大きさを変化させる理由

画像によって横や縦のサイズはまちまちです。しかし画像を使って情報を見つけるような場合、同じ大きさに揃っていたほうが便利なときがあります。そうした場合、画像サイズを大まかに揃えることで見つける時間を短縮できます。

画像の横幅を決めて大きさを変化させる方法

```
cv2.resize(画像, 拡大・縮小したときの大きさ)
```

画像:大きさを変化させたい画像

拡大・縮小したときの大きさ:横と縦のサイズを指定(ピクセル)

Let's Try 29 「画像の横幅を決めて大きさ」を変えてみよう!

P193のコードを元にして次のように入力し、保存したらターミナルから動かしてみましょう。

P193のコードの16行目の上に以下のコードを追加で入力します。

```
1  RESIZE_WIDTH = 640 #リサイズしたい横サイズ(px)
```

```
2    img_height = img.shape[0] #元画像の縦サイズ
3    img_width = img.shape[1] #元画像の横サイズ
4    effect = cv2.resize(img, (RESIZE_WIDTH, int(RESIZE_WIDTH /
     img_width * img_height)))
```

P193のコードの16行目を以下のコードへ入力しなおします。

```
5    cv2.imshow(file, effect)
```

<表示された結果>

画像ファイルに「girl02.jpg」を使っています。左側の元画像より右側のリサイズ後の画像が小さく表示されています。

Point

横と縦に指定するサイズの計算が違っていることに注目しましょう。元の画像と同じ縦横比率をキープしたまま横幅640pxに合わせています。

<今回の縦横等倍率の計算について>

元画像のサイズ：1280×768だった場合

リサイズ後の横：640（RESIZE_WIDTHで決めている大きさ）

リサイズ後の縦：640÷768×1280＝1066.666→1066

640÷768で大きさを変えたときの倍率を求め、求めた倍率を元画像の縦サイズにかけ算することで、リサイズ後の縦サイズを計算しています。

※サイズの単位はすべて「px（ピクセル）」

13日目 3/5 画像を回転させよう!

画像を回転することで、別の見え方を知ることができます。

画像の回転は何に使うの?

画像検出を行う場合、特定の箇所を見つけるために前もってさまざまなパターンを知っておく必要が出てきます。パターンの中には、上下が正しい画像もあれば逆さまになった画像、少し回転した状態の画像も必要。画像の回転は、こういった場面で画像パターンのバリエーションを作るときに利用されます。

画像を回転させる方法

```
cv2.getRotationMatrix2D(回転の中心座標, 回転角度, 倍率)
```

- **回転の中心座標:XとYの座標で指定**(ピクセル)
- **回転角度:反時計回りに回転させる角度**(単位は「度」)
- **倍率:回転と一緒に画像の倍率を変化させる**

```
cv2.warpAffine(画像, 変換させる情報, 変換後の画像サイズ)
```

- **画像:回転させたい画像**
- **変換させる情報:今回は回転の情報**
- **変換後の画像サイズ:横と縦のサイズを指定**(ピクセル)

Let's Try 30 「画像を回転」させてみよう!

P193のコードを元にして次のように入力し、保存したらターミナルから動かしてみよう。

P193のコードの16行目の上に以下のコードを追加で入力します。

```
1 img_height = img.shape[0] #画像の縦サイズ
2 img_width = img.shape[1] #画像の横サイズ
3 img_center = (int(img_width / 2), int(img_height / 2)) #中心点を計算
4 img_rotate = cv2.getRotationMatrix2D(img_center, 20.0, 1.0)
5 effect = cv2.warpAffine(img, img_rotate, (img_width, img_height))
```

P193のコードの16行目を以下のコードへ入力しなおします。

```
6 cv2.imshow(file, effect)
```

<表示された結果>

画像ファイルには「girl02.jpg」を使っています。左が元画像で右が回転した画像です。

Point

回転の中心座標は、画像の中心に指定されています
回転角度を20度、変換後の画像サイズは「1.0」で等倍に指定

13 日目 4/5 画像を色反転（ネガポジ）してみよう！

画像の色を反転してみます。フィルムカメラのフィルム（ネガといいます）を直接見たようになるよ！

画像の色を反転させる理由

画像から特定のパターン（特徴）を見つけるとき、色を反転させることで「歪み」や「ノイズ」を取り除き、判別しにくかった部分を見やすくする効果があります。医療において「デジタルマンモグラフィー」のモニタ診断での有用性も高いといわれています。

また色反転は画像検出の前段階として行う、画像情報を整える「フィルタ処理」と呼ばれる仕事の1つでもあり、あまり目立つことはありませんが、ひっそりと使われている効果です。

画像の色を反転させる方法

```
cv2.bitwise_not(画像)
```

▶ **画像：色を反転させたい画像**

Let's Try 31 「画像の色を反転」させてみよう！

P193のコードを元にして次のように入力し、保存したらターミナルから動かしてみましょう。

P193のコードの16行目の上に以下のコードを追加で入力します。

```
1    negaposi = cv2.bitwise_not(img)
```

P193のコードの16行目を以下のコードへ入力しなおします。

```
2    cv2.imshow(file, negaposi)
```

<表示された結果>

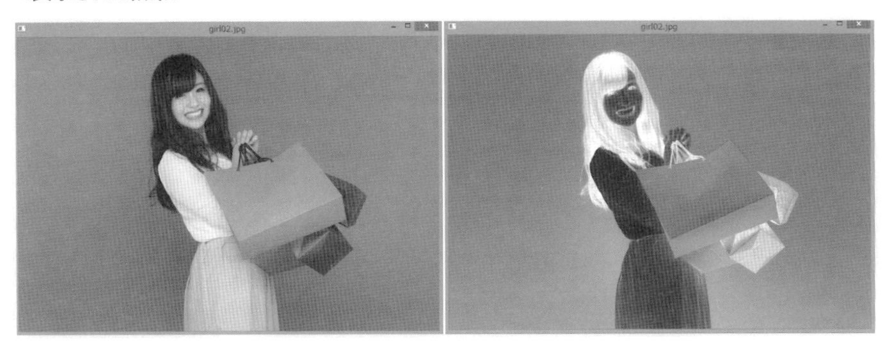

画像ファイルは「girl02.jpg」を使っています。左が元画像、右が反転（ネガポジ）した画像です。

元画像と見比べると、見えにくかった紙袋同士の境目などが色反転することで、コントラストが向上し見えやすくなっていることがわかります。

この「見えやすさ」が、コンピュータにとっては「違いを見つける」ポイントとなり、顔検出の精度に影響してきます。

13日目 5/5 画像にモザイクをかけてみよう！

テレビで見かけるモザイク画像を作ってみましょう。

画像にモザイクをかける方法

画像にモザイクをかけるには、元の画像を一度「縮小」します。そして「縮小」した画像を「拡大」します。拡大するとき、デジタル画像はできるだけ美しくしようと「補間」という仕事をしますが、ここで補間されてしまうと元の画像に戻ってしまうので、あえて補間させないようにするのがポイントです。

```
cv2.resize(画像, 拡大・縮小したときの大きさ, 補間の方法)
```

- **画像：大きさを変化させたい画像**
- **拡大・縮小したときの大きさ：横と縦のサイズを指定**（ピクセル）
- **補間の方法：今回は補間させないので「cv2.INTER_NEAREST」を使用**

Let's Try 32 「画像にモザイク」をかけてみよう！

P193のコードを元にして次のように入力し、保存したらターミナルから動かしてみましょう。

P193のコードの16行目の上に以下のコードを追加で入力します。

```
1  MOSAIC_SCALE = 0.1 #縮小率
2  img_height = img.shape[0]
```

```
3    img_width = img.shape[1]
4    mosaic = cv2.resize(img, (round(img_width * MOSAIC_SCALE),
     round(img_height * MOSAIC_SCALE)), interpolation=cv2.
     INTER_NEAREST)
5    mosaic = cv2.resize(mosaic, (img_width, img_height),
     interpolation=cv2.INTER_NEAREST)
```

P193のコードの16行目を以下のコードへ入力しなおします。

```
6    cv2.imshow(file, mosaic)
```

<表示された結果>

左が元の画像、右がモザイクにした画像です。元の画像が滑らかで美しく見えるのは、四角い色情報が小さいからだということがわかると思います。

Point

roundという組み込み関数があります。これは計算結果の小数点部分を四捨五入し整数に丸めてくれます。
MOSAIC_SCALEという定数があります。定数とは何か思い出しましょう。

13日目のまとめ

画像の大きさを変えたり回転させたりする理由を覚えておこう
ネガポジは重なった物体同士の境界を見つけやすくなる
画像の加工ともいえる処理はAIが出す結果に影響する

14 日目 1/4

画像を検出する方法

ここまで画像を使って遊んでみました。いよいよ画像から特定の部分を検出する方法について学んでいきます。

画像の検出で何ができるのか

画像の検出は、大きく分けると次の3つのことができます。

- **特定の部分の領域を見つける**（例：顔が写っている）
- **一致するかどうかを見分ける**（例：指紋の一致）
- **グループに分ける**（例：ネコとイヌをグループに分ける）

最近では、画像の検出機能を使って、次のような使われ方も登場しています。

- **スマホで自撮り写真の加工ができる**
- **レジで顔をカメラに写すだけで会計できる**
- **病院でCTやMRIの結果から病気を見つける**
- **製造業で組立や検品を自動的に行う**
- **運送業で搬送物の分類を自動的にする**
- **魚の養殖で餌の量と与えるタイミングを計る**

画像をコンピュータはどう見ているのか

コンピュータは画像を見て何が映っているのか理解することはできません。画像を構成している「ピクセル」と呼ばれる小さな点の集まり1つずつの情報（色）を知っているだけなのです。

画像から特定の部分を検出する流れ

画像に映っているものを理解できないコンピュータが、どうやって特定の部分を検出しているのかというと、次のような流れになっています。

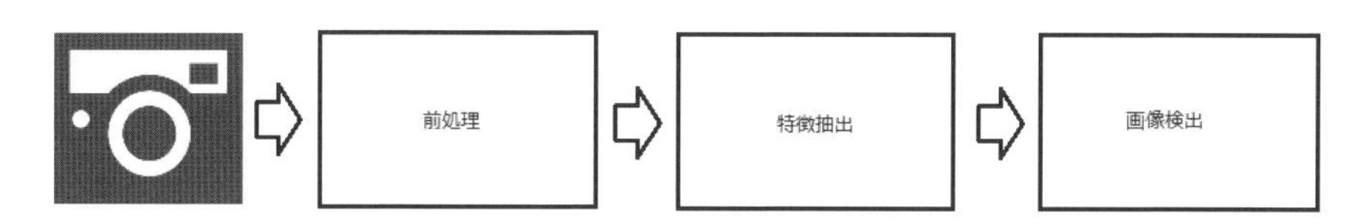

画像入力

デジタルカメラやスキャナーから画像を入力します。ポイントはコンピュータが理解できる形にアナログをデジタルにする（ピクセル単位の情報にする）ことです。

前処理

デジタル化された画像はそのままでは使えません。歪みを調整したり明るさを変えたりします。場合によっては、ここまでに学んだ画像の拡大や縮小、回転やネガポジ化することもあります。

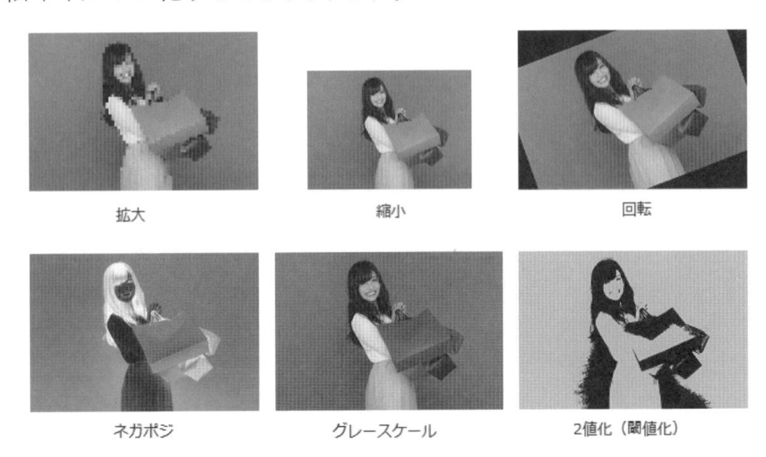

さらにコンピュータがより理解しやすいように、次から学ぶグレースケール化や2値化を行うことで画像を単純化しつつ、次の「特徴抽出」の準備をします。

特徴抽出

できるだけ単純化された画像を構成しているピクセル単位の情報を見ていくことで、隣り合う情報の違いを調べていきます。そうすると、どの部分が同じ情報の集まりかがわかります。これを「ラベリング」と呼びます。

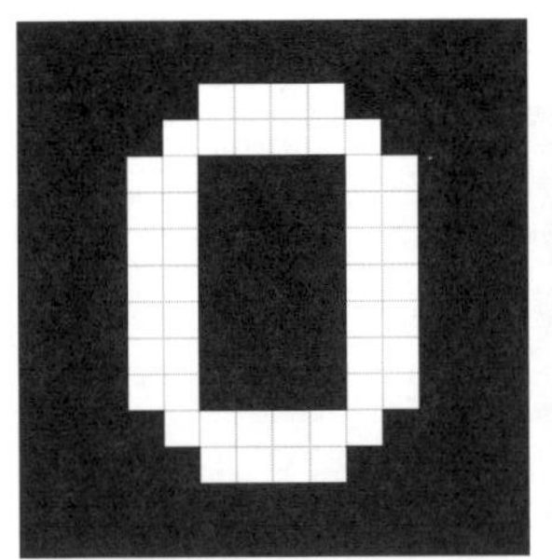
画像には円という形を示す情報は持っていない

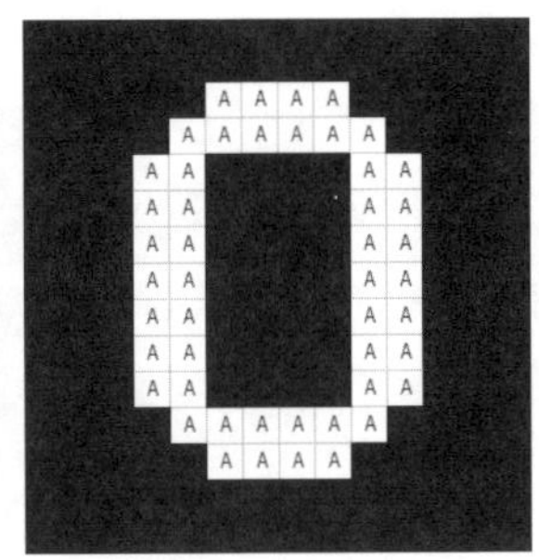
色情報の違いを見つけてラベリングすることで図形の大きさや長さという「特徴」がわかる

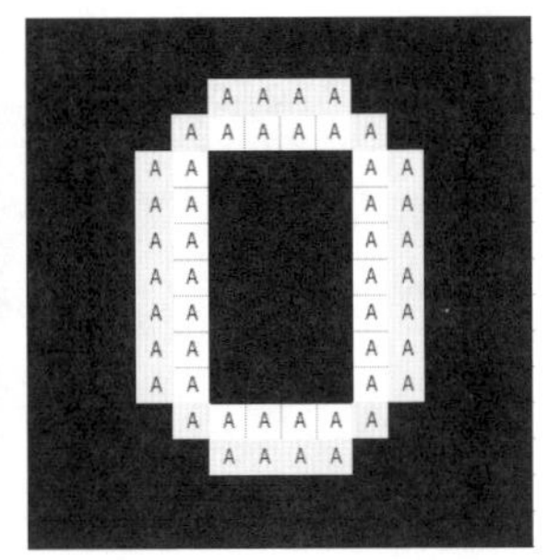
図形の周囲を調べて1周すると輪郭（境界）がわかる

ラベリングできるとお互いの境界線も判ってきますので、境界線を強調することで輪郭が浮き上がってきます。

浮き上がった輪郭の大きさや長さなどを、コンピュータが理解できる数値に置き換えるのが**「特徴抽出」**です。

別の視点で見ると、特徴抽出とは「検出に役立たない情報を捨てている」とも考えられます。

画像検出

特徴抽出された情報と、これまでに得た「特徴が集まった情報（これは機械学習よって用意されます）」とを比較することで、「顔の特徴だ」とか「目の特徴だ」とか「ネコの特徴だ」と判断し、画像から特徴に近い部分を検出します。

ポイントは「輪郭」と「特徴」

コンピュータが行う画像検出は、人間がこれまでの経験から見たものを判断することとは違います。何が映っているのかは理解できないため、すでに与えられた情報にどれだけ一致しているかを見つけるだけなのです。そしてどれだけ一致するかどうかを判断するための情報には、検出対象の「輪郭」を描き、そこから「特徴」を見つけ出すことが重要になってきます。

画像検出を行うときの「特徴」は1つだけではありません。これは人が相手の輪郭や髪型など複数の特徴で見分けているのと同じです。

例えば顔や動物、果物などを検出するのなら、輪郭（形）や大きさ、色が特徴になるでしょう。反対に手書き文字を検出するのなら、色の特徴は必要なくなります。

検出する対象物によって必要な特徴が変わることを覚えておくと、今後AIによる画像検出技術をビジネスシーンで役立てるときの参考になるでしょう。

14日目 2/4 画像をグレースケールで表示しよう!

画像から色情報を捨てることで気になる部分を見つけることができます。

グレースケールを使う理由

グレースケールは、カラー画像から色の情報（RGB）を捨て、明るさの度合いだけで表現しています。

画像から特徴を見つける場合にポイントとなる境界や輪郭は、色の情報よりも明るさの違いのほうがコンピュータにとっては簡単です。
また色の情報は「赤の情報（R）」「緑の情報（G）」「青の情報（B）」と3つの情報（これを3チャンネルと呼びます）を持たないといけませんが、グレースケールにすると色情報を捨てることで、明るさ（輝度）の情報だけになります。
3チャンネルが1チャンネルになることで、コンピュータが扱う情報量を減らすことになり、スピードアップにもつながります。そのため、画像検出の前処理でグレースケールを使うことが多いのです。

画像をグレースケールにする方法

```
cv2.cvtColor(画像, 変換させる方法)
```

画像：グレースケールにしたい画像
変換させる方法：今回はグレースケールなので「cv2.COLOR_RGB2GRAY」

Let's Try 33 「画像をグレースケールで表示」してみよう!

P193のコードを元にして次のように入力し、保存したらターミナルから動かしてみよう。

P193のコードの16行目の上に以下のコードを追加で入力します。

```
1    img_gray = cv2.cvtColor(img, cv2.COLOR_RGB2GRAY)
```

P193のコードの16行目を以下のコードへ入力しなおします。

```
2    cv2.imshow(file, img_gray)
```

<表示された結果>

左が元の画像、右が今回表示したグレースケールの画像です。

色の情報がなくなったことで、それぞれのパーツ(顔や手、体と背景など)の境界と輪郭がはっきりしています。

14 日目 3/4

画像を2値化で表示する

グレースケールになった画像から、さらに気になる部分を浮き上がらせます。

2値化ってなに？

画像には、暗い部分から明るい部分まであります。例えば、もっとも暗い部分を「0」、もっとも明るい部分を「255」だとします。0〜255までの間の数字を使うことで、さまざまな明るさを表現できます。これがP208のグレースケールです。しかし、今回の2値化では白と黒だけの状態にします。

白と黒はどうやって決めるの？

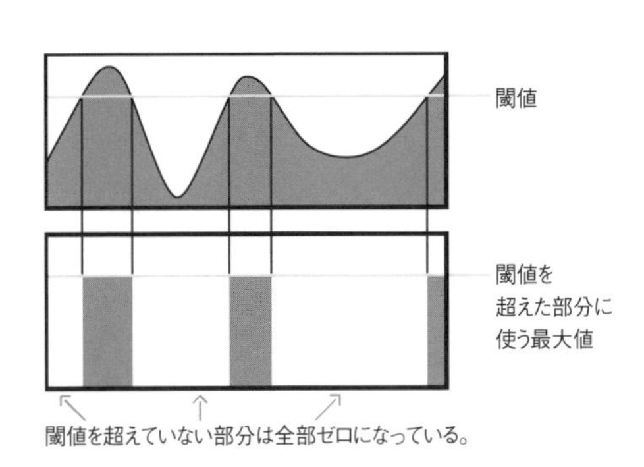

0〜255までの間で「この辺かな」と思うところに線を引きます。

例えば100に線を引いたとします。この線を「閾値（しきいち）」と呼びます。そして閾値よりも下を黒に、閾値よりも上を白に変換します。

2値化を使う理由

2値化することで対象物を鮮明にでき、画像のノイズを除去することもできるため、画像検出の前処理で2値化を使うことが多いです。最近では、車が車線からはみ出さないようにするアシスト機能にも使われています。

画像を2値化する方法

```
cv2.threshold(画像, 閾値, 最大値, 2値化の方法)
```

画像:2値化したい画像

閾値:「このあたりかな」とする線

最大値:閾値以上の場合に変換する明るさ

2 値化の方法:今回は閾値以上の輝度を最大に、閾値以下の輝度を0にする方法「cv2.THRESH_BINARY」を使用

Let's Try 34 「画像を2値化で表示」してみよう!

P193のコードを元にして次のように入力し、保存したらターミナルから動かしてみよう。

P193のコードの16行目の上に以下のコードを追加で入力します。

```
1  img_gray = cv2.cvtColor(img, cv2.COLOR_RGB2GRAY)
2  retValue, img_thresh = cv2.threshold(img_gray, 100, 200, cv2.
   THRESH_BINARY)
```

P193のコードの16行目を以下のコードへ入力しなおします。

```
3  cv2.imshow(file, img_thresh)
```

<表示された結果>

左が元の画像、右が今回表示した「2値化」した画像です。

14 日目 4/4 画像の輪郭を表示する ～ラプラシアン～

画像の輪郭を見つけて、対象をわかりやすくしよう! 今回は「ラプラシアン」と呼ばれる方法で輪郭を表示します。

画像の輪郭ってなに?

画像には明るい部分と濃い部分があります。急激に濃度が変化した部分を拾って線で表すと、対象の大まかな形が見えてきます。これが輪郭（または輪郭線）です。そして輪郭のことを「エッジ」と呼びます。

エッジを使うのはどうして?

画像検出では、画像の中にどのような特徴があるのかをコンピュータに調べてもらう必要があります。そこでエッジを使って大まかな形を見つけます。大まかな形は効率よく特徴を見つけることができるので、コンピュータは判断する回数をグンと減らしてスピーディーに仕事ができるようになります。

画像からエッジを抜き出す方法～ラプラシアン～

```
cv2.Laplacian(画像, 出力画像の色深度)
```

- **画像：エッジを抜き出したい画像**
- **出力画像の色深度：画像の色数**（今回は元画像と一緒にするので-1）

Let's Try 35 「画像からラプラシアンで輪郭を抽出」してみよう！

P193のコードを元にして次のように入力し、保存したらターミナルから動かしてみましょう。

P193のコードの16行目の上に以下のコードを追加で入力します。

```
1  edge = cv2.Laplacian(img, -1)
```

P193のコードの16行目を以下のコードへ入力しなおします。

```
2  cv2.imshow(file, edge)
```

<表示された結果>

右画像では、エッジが浮き上がってきました。画像に含まれているものの大まかな形が見えてきますね。人間も最初に大まかな形がわかると、自分に必要なものかどうかを一瞬で判断できます。コンピュータを使った画像検出でもこれと同じようにしたいのです。次ページからは「ラプラシアン」とは違ったエッジを浮き上がらせる方法を2つ紹介します。

14日目のまとめ

画像検出の原理を復習しておこう
画像検出には「エッジ」が大切なことを覚えておこう
AIはきちんと整頓された前準備があってこそ効果的に動くことができる

15日目 1/3 画像の輪郭を表示する ～ソーベル～

ラプラシアンとは違ったエッジの見つけ方を紹介します。

エッジの見つけ方はさまざま

エッジを見つける方法は世界の天才たちによって、さまざまな方法が考案されています。どの方法が一番というのではなく、元の画像から自分が検出したいものを、どの方法がもっともうまく使えるのかというように考える必要があります。

画像からエッジを抜き出す方法 ～ソーベル～

ラプラシアンのように全体の形を見つけるエッジではなく、縦または横方向に特化したエッジを浮き出します。形や大きさが決まった物体（ボルトやナット）の縦（高さ）または横（幅）の距離などを見つける場合に活用されます。

```
cv2.Sobel(画像, 出力画像の色深度, 横方向の指定, 縦方向の指定)
```

- **画像：エッジを表示したい画像**
- **出力画像の色深度：画像の色数**（今回は元画像と一緒にするので-1）
- **横方向のエッジ指定：横向きに濃度を見ることでエッジを抜き出す**
- **縦方向のエッジ指定：縦向きに濃度を見ることでエッジを抜き出す**

Let's Try 36 「画像からソーベルで輪郭を抽出」してみよう！

P193のコードを元にして次のように入力し、保存したらターミナルから動かしてみましょう。

P193のコードの16行目の上に以下のコードを追加で入力します。

```
1    edge = cv2.Sobel(img, -1, 0, 1)
```

P193のコードの16行目を以下のコードへ入力しなおします。

```
2    cv2.imshow(file, edge)
```

<表示された結果>

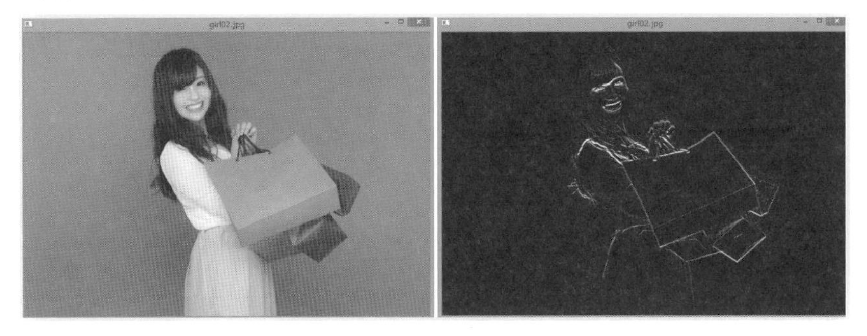

左が元の画像、右が今回エッジを抽出して表示した画像。

今回は縦向きに濃度を見ることにしてみました。画像の中の濃度の差を上と下で比較して見つけていくため、元画像と結果画像を見比べるとわかりますが「横のライン」を浮き上がらせることができています。

15 日目 2/3 画像の輪郭を表示する ～キャニー～

ラプラシアンやソーベルとは違ったエッジの見つけ方を紹介します。

キャニー(Canny)とは

エッジを美しく見つけるのが特徴。その反面、見つける時間は長くなります。キャニーはソーベルの結果を使うことで、エッジを美しく浮き上がらせてくれます。

キャニーは、大まかに次のような流れでエッジを見つけています。

1. 元画像からノイズを除去
2. ノイズを除去した画像にソーベルを横と縦の両方向で実施
3. エッジに必要でない部分を除外
4. 閾値を使って「確実にエッジ」と「エッジっぽい」部分に分ける
5. 「確実にエッジ」と「エッジっぽい」部分が重ならないところを除去
6. 「確実にエッジ」と「エッジっぽい」部分が重なったところだけをエッジとする

画像からエッジを抜き出す方法 ～キャニー～

```
cv2.Canny(画像, 小さい閾値, 大きい閾値)
```

- **画像：エッジを表示したい画像**
- **小さい閾値：「エッジっぽい」にしたい明暗**
- **大きい閾値：「確実にエッジ」にしたい明暗**

Let's Try 37 「画像からキャニーで輪郭を抽出」してみよう！

P193のコードを元にして次のように入力し、保存したらターミナルから動かしてみましょう。

P193のコードの16行目の上に以下のコードを追加で入力します。

```
1  edge = cv2.Canny(img, 10.0, 200.0)
```

P193のコードの16行目を以下のコードへ入力しなおします。

```
2  cv2.imshow(file, edge)
```

<表示された結果>

左が元の画像、右が今回エッジ抽出して表示した画像。

今回は小さい閾値を10.0、大きい閾値を200.0としました。この数値は元画像の状態によって決まりますので、仕事で使う場合には微調整をする必要が出てきます。

ラプラシアン（Laplacian）、ソーベル（Sobel）、キャニー（Canny）、それぞれの結果を見比べてみてください。少しずつ違っていると思います。この違いを状況や対象によって上手に選ぶのが「AIを使う人」だといえるでしょう。そして、こういったことがAI時代の「人」の仕事になるのだと思います。

15 日目 3/3 画像の角を表示する ～コーナー～

画像の特徴を見つける方法はエッジだけではありません。今回紹介する「角」を使った方法もあります。

角（コーナー）を使う

今回は、濃度の違いから「角のような」位置を見つけて「特徴点」とする方法です。ここでいう「角」とは、大まかにいうと**「縦と横が交わるところで、まわりよりも明るい部分、または濃い部分ができている」**となります。こういった位置をコンピュータが見つけることで比較する情報が定まり、効率的に「一致しているか」「近いのか」を判断することができるのです。

画像から角（コーナー）を見つける方法

```
cv2.goodFeaturesToTrack(画像, 角の最大数, 品質レベル, 2つのコーナー間の距離)
```

- **画像：コーナーを表示したい画像**
- **角の最大数：見つけたいコーナーの最大数**
- **品質レベル：採用するコーナーの質の最低基準**（0～1の間で指定）
- **2 つのコーナー間の距離：コーナー間の直線距離**

Let's Try 38 「画像からコーナーを抽出」してみよう！

P193のコードを元にして次のように入力し、保存したらターミナルから動かしてみましょう。

P193のコードの16行目の上に以下のコードを追加で入力します。

```
1   img_gray = cv2.cvtColor(img, cv2.COLOR_RGB2GRAY)
2   MAX_CORNERS = 80
3   QUALITY_LEVEL = 0.01
4   MIN_DISTANCE = 5.0
5   corners = cv2.goodFeaturesToTrack(img_gray, MAX_CORNERS,
    QUALITY_LEVEL, MIN_DISTANCE)
6   for corner_info in corners:
7       corner_x, corner_y = corner_info.ravel()
8       cv2.circle(img, (corner_x, corner_y), 1, (0, 200, 255), -1)
9       cv2.circle(img, (corner_x, corner_y), 8, (0, 200, 255))
```

<表示された結果>

左が元の画像、右が今回コーナーを抽出して表示した画像。

4つの方法を体験しました。同じような結果に見えますが、それぞれの得意なことを理解しておくことが大切です。ラプラシアンはエッジから大まかな形を、ソーベルは縦または横方向のエッジを、キャニーはエッジが見つけにくい場合に。コーナーは特徴点の数や集まり具合から画像の内容を推測するために使われることが多い手法です。

15日目のまとめ

輪郭を見つける方法は複数あることを覚えておこう
特徴点(角)を見つけることで違いを判断する方法もある

16 日目 1/2 【課題7】画像から顔を検出しよう!

7回目の課題です!わからないことがあれば、「ヒント」を参考にしたり、これまで学んだページを見直そう!

課題の内容

P188の【課題6】で画像を選んで表示するプログラムを作りました。このプログラムへ以下の課題を行い、プログラムを実行すると画像から「顔」を検出するようにしてみましょう。

STEP1 準備しよう!

テキストエディタを起動したら、P193【課題6】の正解コードを入力しましょう。入力を終えたらいったん保存します。保存先の情報は以下のとおりです。

- **ファイル名:face_detection.py**
- **保存場所:ドキュメント/pycvai/ (Mac:書類/pycvai)**
- **保存形式(文字コード):utf-8**

STEP2 画像が表示されるかチェックしよう!

【課題6】と同じようにターミナルから動かして確かめます。

```
python face_detection.py girl02.jpg
```

入力できたらEnterキーを押します。

STEP3 顔検出の流れを復習しよう!

画像フィルタ	特徴を判別しやすいように強調する	特徴を抽出	検出結果を表示
大きさを変えたりして画像を扱いやすいように加工する	グレースケールなどを利用する	特徴を判定して評価	

STEP4 画像の横幅を800pxまでにしよう!

画像ファイルが指定されているかどうかを判断した後に、以下のコードを追加しましょう。

```
1  RESIZE_WIDTH = 800
2  img_height = img.shape[0]
3  img_width = img.shape[1]
4  if img_width > RESIZE_WIDTH:
5      img_resize = cv2.resize(img, (RESIZE_WIDTH, int(RESIZE_
   WIDTH / img_width * img_height)))
6  else:
7      img_resize = img
```

画像サイズの横幅が800px以上なら800pxに。以下なら何もしないように条件分岐を使って判断しています。

ヒント

P120、P194で学んだ内容を思い出そう!

STEP5 特徴を判別しやすいようにしよう!

画像をグレースケール化しておきます。リサイズした後に以下のコードを入力します。

```
8  img_gray = cv2.cvtColor(img_resize, cv2.COLOR_RGB2GRAY)
```

ヒント

P208で学んだ「グレースケール」を思い出そう!

STEP6 顔検出の仕組みを知ろう!

読み込んだ画像の一部を切り取りながら、あらかじめ大量のデータから作られた特徴のパターンを集めた結果(評価器といいます)と比較して判定します。1回でも顔じゃないと判定されれば、そこで検出作業が終わります。

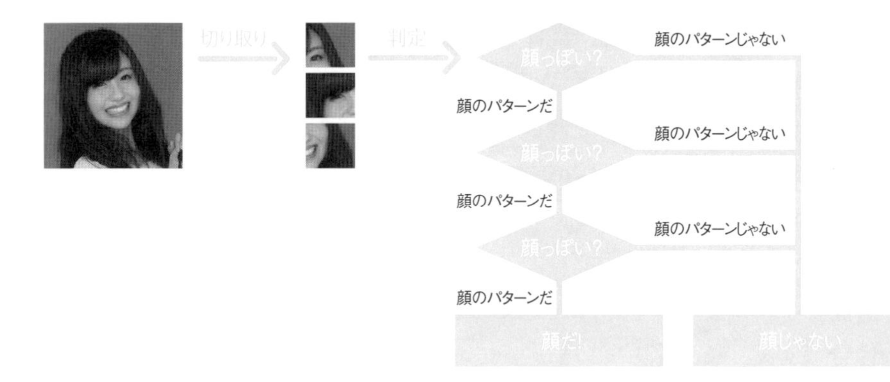

STEP7 判定する方法「Harr-like」を知ろう!

顔を判定する方法で有名なのが「Harr-like(ハールライク)」と呼ばれる方法です。ハールライクは切り取った画像を以下のような縦と横の単純な縞模様のパターン(評価器)に一致するかどうかを判定します。

より判定の精度を上げるためには、大量の顔画像のサンプルが必要になります。今のようなビッグデータ時代でないと難しかった技術です。

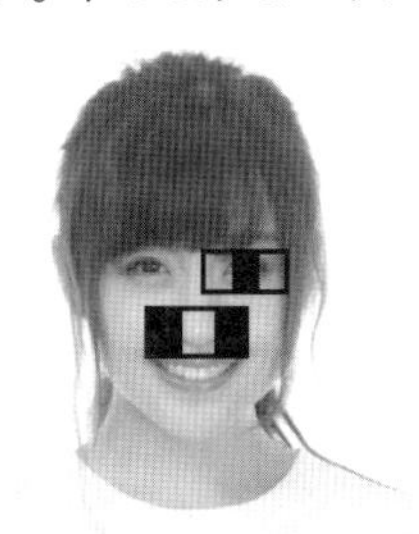

Harr-likeでは顔をブロック単位で見ていき、顔の特徴に近いかどうかを判定。特徴は顔に当たる光と影でできた明暗のパターンを使って見つけています。

STEP8 「評価器」をコピーしよう!

顔検出に関しては「intel入ってる!」で有名なCPUメーカーであり、OpenCVを開発しているインテルが大量の顔画像から評価器を作って準備してくれています。
【課題1】でダウンロードしたzipファイルを展開したときに作成された「progai/facefound/cascade」に「haarcascade_frontalface_alt.xml」という名前の評価器が入っています。「ドキュメント/pycvai/(Mac:書類/pycvai)」の中へ評価器をコピーします。

簡単にコピーした評価器ですが、この評価器は何千枚というテスト画像をプログラムに読み込ませて学習させた結果なのです。そして、この学習こそ「機械学習」というやつなのです。さらに、今回の機械学習では「教師あり」と呼ばれる「人間が特徴を設定し学習させる」方法が使われています。

STEP9 「教師あり」学習について知ろう!

顔検出用の機械学習（教師あり）にフォーカスするなら、人の顔が写った画像を大量に用意し、人間が顔の部分を指定して下準備を行い、その結果をコンピュータへ学習させます。

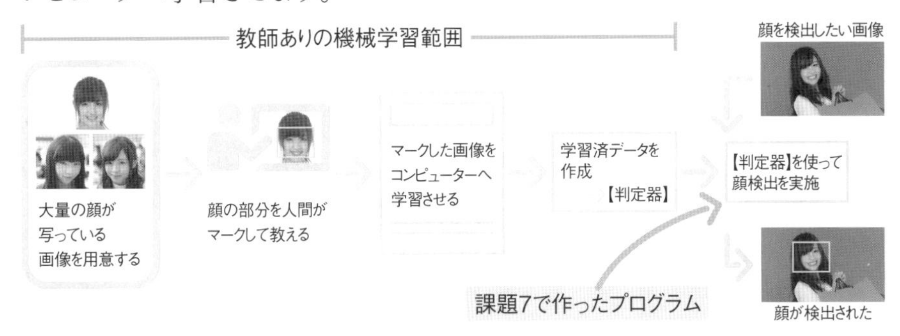

STEP10 顔検出用の評価器を準備しよう!

グレースケールの後に、評価器の準備をするコードを入力します。

```
9  CASCADE_FILE = 'haarcascade_frontalface_alt.xml'
```

STEP11 顔を見つける「検出器」を準備しよう!

評価器を準備した後に、以下のコードを入力します。

```
10  haar_cascade = cv2.CascadeClassifier(CASCADE_FILE)
```

STEP12 検出器を使って顔を検出しよう!

<検出する方法>

```
detectMultiScale(画像, scaleFactor, minNeighbors, minSize)
```

画像：顔を検出したい画像（入力画像）

scaleFactor：入力画像を縮小する割合

minNeighbors：検出対象となる部分を少しくらい動かしても判定パターンから大きくズレない最低の数

minSize：検出対象の最小サイズ

指定する値で検出の精度が変わります。そしてここを調整するのが「AIを使う側の人」の仕事になってくるでしょう。

検出器を準備した後に、以下のコードを入力します。

```
11  detection = haar_cascade.detectMultiScale(img_resize,
    scaleFactor=1.1, minNeighbors=2, minSize=(30, 30))
```

STEP13 検出された結果を使って顔を枠で囲もう!

検出器を動かすと、検出した対象の開始位置情報（横と縦の座標）と検出した対象の大きさ（幅と高さ）を手に入れることができます。

```
手に入れた情報:[横の開始位置, 縦の開始位置, 幅, 高さ]
```

※リストで戻ってくることに注意しましょう。

この情報を使って顔を赤の四角で囲んでいきます。検出器を動かした後に、以下のコードを入力します。

```
12  if len(detection) > 0:
13      for rect in detection:
14          cv2.rectangle(img_resize, tuple(rect[0:2]),
```

```
    tuple(rect[0:2]+rect[2:4]), (0, 0, 255), thickness=2)
15  else:
16      cv2.putText(img_resize, 'no match found', (20, 50), cv2.FONT_
    HERSHEY_COMPLEX, 1.0, (0, 0, 255), 2)
```

「len」という組み込み関数で検出結果が何件あったのかを調べています。0件以上なら1つは顔が見つかったことになるので、赤枠を描くようになっています。顔が見つからなかった場合は、画像に「no match found」と文字を入れています。

ヒント

条件分岐はP120、繰り返しはP128、赤枠はP182、文字はP186を参考に。リストで使っているスライスも思い出そう。

STEP14 検出した結果を表示しよう!

以下の部分を見つけて変更して入力しましょう。

<変更前>

```
cv2.imshow(file, img)
```

<変更後>

```
17  cv2.imshow(file, img_resize)
```

ここまで入力できれば保存します。

※正解コードは、【課題1】でダウンロードしたzipファイルを展開したときに作成された「progai/課題/4章/課題7」、または以下のリンクから確認してください。

https://021pt.kyotohibishin.com/books/aipg/contents4

答え合わせ

これまでと同じようにターミナルから動かします。入力できたらEnterキーを押します。

```
python face_detection.py girl02.jpg
```

<表示された結果>

続いてもう1つの画像「girl01.jpg」を使って顔検出してみましょう。

<表示された結果>

顔が真正面を向いていないので検出できなかったようです。このように判定方法によって弱点もありますので、どういう方法を選ぶのかもAIを使う人の仕事になってきます。

16日目 2/2 【課題8】画像から目を検出しよう！

8回目の課題です！わからないことがあれば、「ヒント」を参考にしたり、これまで学んだページを見直そう！

課題の内容

【課題7】で作ったプログラムを使って「目」を検出してみます。ポイントはプログラムをゼロから作るのではなく、顔の検出に使っていた評価器を、目を検出する評価器に入れ替えるだけでOKということです。プログラムは常にゼロから作らなくても、同じようなことは少し変更するだけで使い回せるのです。

STEP1 準備しよう！

目を検出する評価器もインテルが準備してくれています。【課題1】でダウンロードしたzipファイルを展開したときに作成された「progai/facefound/cascade」に「haarcascade_eye.xml」という名前の評価器が入っています。「ドキュメント/pycvai/（Mac：書類/pycval）」の中へ評価器をコピーします。

STEP2 顔検出用の評価器を無効化しよう！

テキストエディタを起動してP220【課題7】で作った「face_detection.py」を開いて編集できる状態にします。以下の部分をコメントにして無効化にします（コメントは行の先頭に「#」を入力します。P94を思い出しましょう）。

```
1  CASCADE_FILE = 'haarcascade_frontalface_alt.xml'
```

STEP3 目検出用の評価器を追加しよう!

顔検出用の評価器を無効化した次の行に、以下の内容を追加します。

```
2    CASCADE_FILE = 'haarcascade_eye.xml'
```

ヒント

インデントに注意しましょう。P130を思い出してください。

ここまでできたら上書き保存します。

※正解コードは、【課題1】でダウンロードしたzipファイルを展開したときに作成された「progai/課題/4章/課題8」、または以下のリンクから確認してください。

https://021pt.kyotohibishin.com/books/aipg/contents4

答え合わせ

これまでと同じようにターミナルから動かします。

```
python face_detection.py girl01.jpg
```

<表示された結果>

たったこれだけで目が検出できました(2箇所は目じゃない部分も検出していますが……)。大量データから機械学習で作られた評価器があれば簡単に検出したい対象を変えることができます。

16日目のまとめ

判定方法によって弱点がある。どの方法を選ぶかは人の仕事

評価器があれば入れ替えるだけで使い回せる

17 日目 1/1

【課題9】一致する部分を検出しよう!

9回目の課題です!わからないことがあれば、「ヒント」を参考にしたり、これまで学んだページを見直そう!

課題の内容

【課題8】では機械学習の結果から似た部分を見つけました。

今度は2つの画像を使って一致する部分を見つけてみます。これは印刷された文字や画像の中から一致する部分を見つけるときに使われる「テンプレートマッチング」と呼ばれる方法です。

テンプレート画像を検索対象の画像の中でスライドして動かし、一致する部分を見つけ出します。

指紋の照合や、最近話題の車の自動運転で歩行者の認識を行うためにも使われています。

STEP1 準備しよう!

テキストエディタを起動したら、P193【課題6】の正解コードを入力します。入力できたらいったん保存します。保存先の情報は以下のとおりです。

ファイル名:template_matching.py
保存場所:ドキュメント/pycvai (Mac:書類/pycvai)
保存形式(文字コード):utf-8

STEP2 画像が表示されるかチェックしよう!

【課題6】と同じようにターミナルから動かして確かめます。

```
python template_matching.py mt-girlface.jpg
```

<表示された結果>

STEP3 画像を2つ使うように変更しよう!

検索対象の画像と、検索対象に含まれるかどうかを見つけるテンプレート画像を指定できるようにします。

実行時に渡された画像ファイルが1つはあるか判断している部分を、2つあるかどうか判断するよう、以下のように変更します。

```
1  if len(sys.argv)<3:
2      print('検索対象画像ファイルとテンプレート画像ファイルの2つ指定してください。')
3   sys.exit()
```

STEP4 テンプレート画像ファイル名を受け取ろう!

画像ファイル名を受け取った後に、テンプレート画像ファイル名を受け取るように追加します。

```
4  file_templ = sys.argv[2]
```

STEP5 テンプレート画像を読み込もう!

検索対象画像を読み込んだ後に、テンプレート画像を読み込むよう追加します。また画像ファイルが2つ正しく読み込めたかどうか判断するように変更しましょう。

```
5  img_template = cv2.imread(file_templ)
6  if (img is None) or (img_template is None):
7      raise ValueError('検索ファイルが見つかりません。')
```

STEP6 テンプレートマッチングを行い、マッチング結果を表示しよう!

<テンプレートマッチングする方法>

```
cv2.matchTemplate(検索対象画像, テンプレート画像, 検索手法)
```

検索対象画像：検索の対象となる画像

テンプレート画像：検索する画像

検索手法：今回は一致精度が高い「cv2.TM_CCOEFF_NORMED」を使用

マッチング結果には、一致した部分の領域情報を受け取ります。

STEP5の後ろに以下の内容を追加します。

```
8   result_match = cv2.matchTemplate(img, img_template, cv2.
    TM_CCOEFF_NORMED)
9   cv2.imshow('Template Matching', result_match)
10  cv2.waitKey(0)
```

STEP7 一致した部分の領域情報から、一致部分を赤枠で囲もう!

【STEP6】の後ろに以下の内容を追加します。

```
11  min_val, max_val, min_loc, max_loc = cv2.minMaxLoc(result_
    match)
12  top_left = max_loc
```

```
13  bottom_right = (top_left[0] + img_template.shape[1], top_
    left[1] + img_template.shape[0])
14  cv2.rectangle(img, top_left, bottom_right, (0, 0, 255), 2)
```

ここまで入力できれば保存します。

※正解コードは、【課題1】でダウンロードしたzipファイルを展開したときに作成された「progai/課題/4章/課題9」、または以下のリンクから確認してください。

▶ https://021pt.kyotohibishin.com/books/aipg/contents4

答え合わせ

これまでと同じようにターミナルから動かします。入力できたらEnterキーを押します。

```
python template_matching.py girl04.jpg mt-girlface.jpg
```

17日目のまとめ

- □ 画像検出にはテンプレートマッチングという方法がある
- □ テンプレートマッチングは車の自動運転などでも使われている方法
- □ CSIなどの海外ドラマで見ることも多い指紋照合でも活用されている技術

<表示された結果>

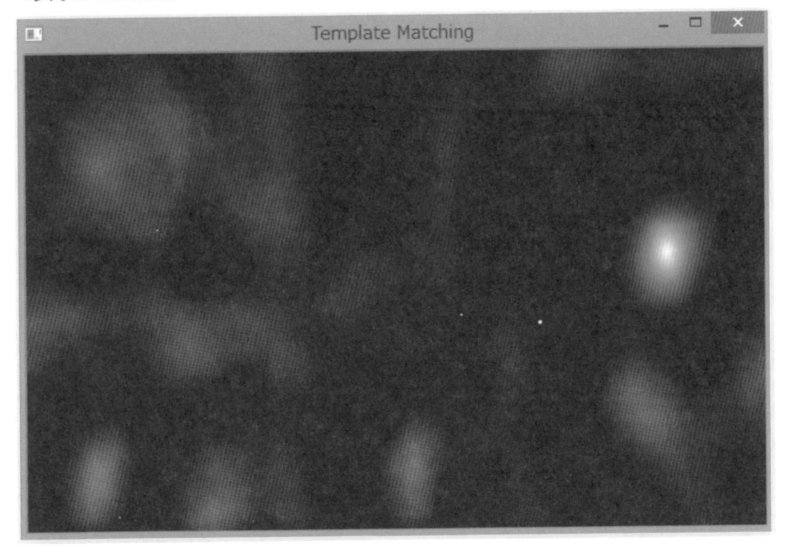

色が黒に近いほど、テンプレート画像に一致している確率が高いことを表しています。さらにEnterキーを押すと、一致する部分に赤枠が表示されます。

18日目 1/1 【課題10】特徴点で一致具合を見てみよう！

10回目の課題です！ わからないことがあれば、「ヒント」を参考にしたり、これまで学んだページを見直そう！

課題の内容

テンプレートマッチングは比較的簡単に使えます。しかし、画像の大きさが違ったり変形していたりすると認識されにくくなります。そこで2つの画像の特徴（輪郭、形、色、線の位置や方向など）に注目して、同じようになっている部分を見つける方法があります。これを「特徴抽出」といいます。

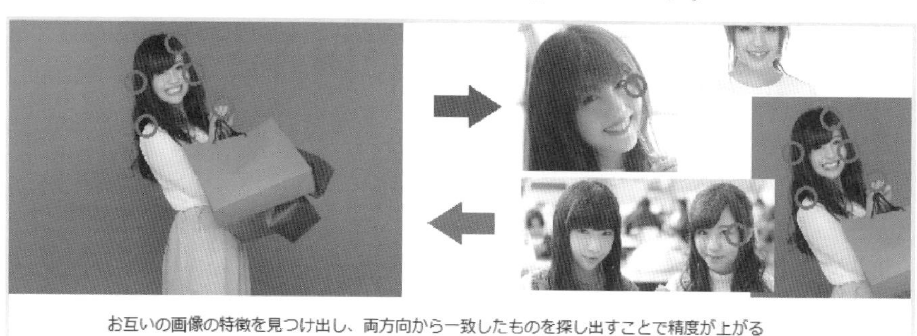

お互いの画像の特徴を見つけ出し、両方向から一致したものを探し出すことで精度が上がる

STEP1 準備しよう！

テキストエディタを起動したら、P193【課題6】の正解コードを入力します。入力できたらいったん保存します。保存先の情報は以下のとおりです。

- **ファイル名：feature_matching.py**
- **保存場所：ドキュメント/pycvai　（Mac：書類/pycvai）**
- **保存形式（文字コード）：utf-8**

STEP2 画像が表示されるかチェックしよう!

【課題6】と同じようにターミナルから動かして確かめます。

```
python feature_matching.py mt-girlface.jpg
```

<表示された結果>

STEP3 画像を2つ使うように変更しよう!

検索対象の画像と、検索対象に含まれるかどうかを見つけるテンプレート画像を指定できるようにします。

実行時に渡された画像ファイルが1つはあるか判断している部分を、2つあるかどうか判断するよう、以下のように変更します。

```
1    if len(sys.argv)<3:
2        print('特徴量検出するファイルを2つ指定してください。')
3        sys.exit()
```

STEP4 2つの画像ファイル名を受け取ろう!

画像ファイル名の受け取り部分を以下のように変更して追加します。

```
4    file1 = sys.argv[1]
```

```
5  file2 = sys.argv[2]
```

STEP5 2つの画像を読み込もう!

画像の読み込みとチェック部分を以下のように変更と追加をします。

```
6  img1 = cv2.imread(file1)
7  img2 = cv2.imread(file2)
8  if (img1 is None) or (img2 is None):
9      raise ValueError('特徴量検出ファイルが見つかりません。')
```

ヒント

変数「img」が「img1」に変更されていることに注意しましょう。

STEP6 AKAZEという方法で特徴を計算し、画像の特徴点を抽出しよう!

STEP5の後ろに以下の内容を追加します。

```
10  detector = cv2.AKAZE_create()
11  point1, desc1 = detector.detectAndCompute(img1, None)
12  point2, desc2 = detector.detectAndCompute(img2, None)
```

STEP7 お互いの特徴点を使って両方向からマッチングさせよう!

STEP6の後ろに以下の内容を追加します。

```
13  matcher = cv2.BFMatcher(cv2.NORM_HAMMING, True)
14  matches = matcher.match(desc1, desc2)
15  img_match = cv2.drawMatches(img1, point1, img2, point2,
    matches, None, flags=2)
```

STEP8 マッチング結果を表示しよう!

以下の部分を見つけて変更して入力しましょう。

<変更前>

```
cv2.imshow(file, img)
```

<変更後>

```
16    cv2.imshow(file1+'<-->'+file2, img_match)
```

ここまで入力できれば保存します。

※正解コードは、【課題1】でダウンロードしたzipファイルを展開したときに作成された「progai/課題/4章/課題10」、または以下のリンクから確認してください。

https://021pt.kyotohibishin.com/books/aipg/contents4

答え合わせ

これまでと同じようにターミナルから動かします。

```
python feature_matching.py girl04.jpg girl02.jpg
```

<表示された結果>

似た特徴点が多い（線が密集している）ほど、似ているといえます。

他の画像でもマッチングさせてみましょう。

「girl03.jpg」と「girl04.jpg」をマッチングさせてみよう!

「girl04.jpg」と「mt-girlface.jpg」をマッチングさせてみよう!

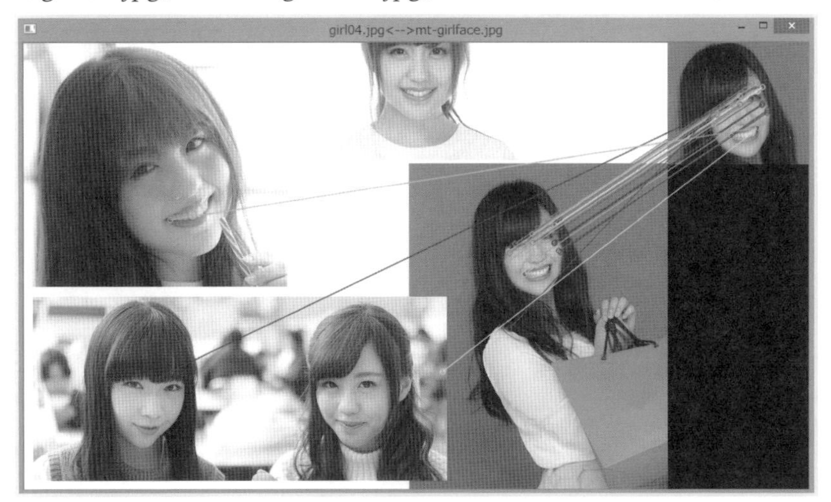

18日目のまとめ

- 特徴点を見つけて一致させる方法もあることを覚えておこう
- どの方法を使うのかを決めるのは人間の仕事
- 適切な検出方法で情報を読み取ることがAI活用の第一歩

第 5 章

話題の 機械学習を 体験しよう！

19 日目 1/4

機械学習とは

ここ数年、見聞きすることが増えた「機械学習」という言葉。
この章では機械学習について学習していきましょう。

機械学習とは、人が集めて区別した情報（データ）からコンピュータが学び、従来なら人間が作っていた「判断する仕組み」をコンピュータ自身が作り出すことです。さらに機械学習の中には**「ディープラーニング（深層学習）」**と呼ばれる人間の脳の仕組みを真似た動きを用いて、人が情報を区別しなくてもコンピュータが自ら区別して何を学ぶのかを見つける最先端の学習方法があります。

機械学習には種類がある

P44で少しふれた「教師あり」と「教師なし」があったことを覚えているでしょうか。

教師あり

あらかじめ人間が学習データを準備してコンピュータに教えることで、未知のデータを判別できるようにします。P220で体験した画像検出や「こういう画像かな」と予測するのが得意です。

教師なし

正解がわからないデータをコンピュータが自動的に特徴やパターンを見つけて分類（クラスタリング）します。
アマゾンや楽天など通販サイトの「おすすめ」情報は正解がありません。しかし、あなたの購入履歴から好きそうなものを分類して教えています。

教師なし学習を知っておこう

教師あり学習はP220の課題で実体験していますので、この章ではまだ体験していない「教師なし学習」を学びながら実体験していきます。

教師なし学習は、教師あり学習のように前もって学習するための情報が必要ありません。コンピュータが自動調整しながら類似性（特徴）を見つけて分類するため、人間が教えなくていいのです。

正解のわからないこと、どのような法則性があるのかわからないことを分類し、結果から人間が「何かを発見する」「何かを解釈する」というような用途に向いています。

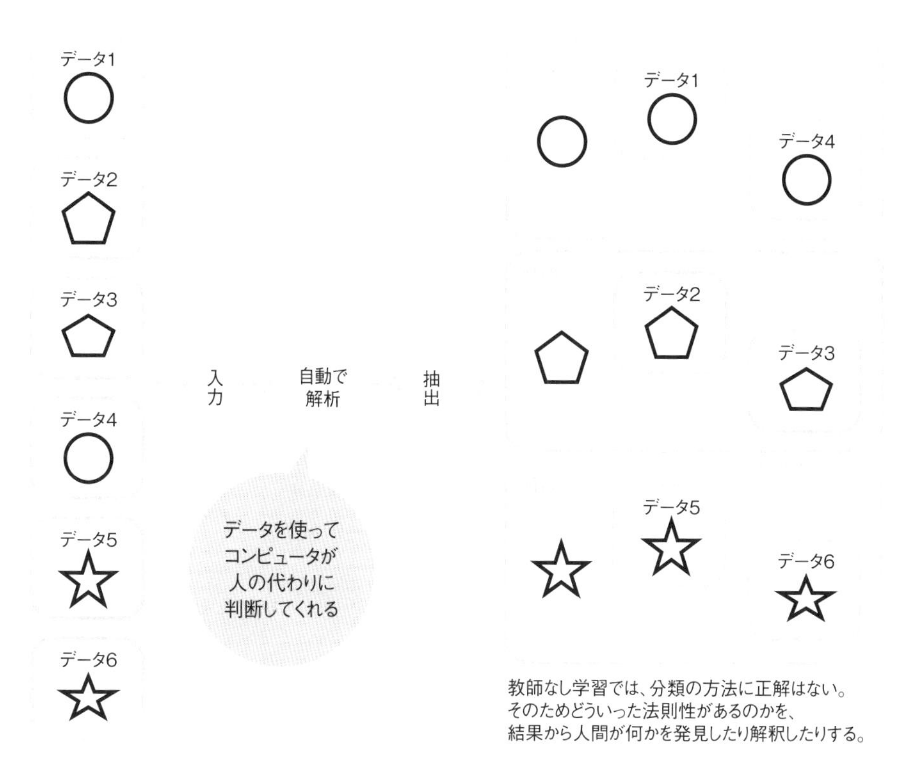

19日目 2/4 機械学習を体験する理由

機械学習を知っておくといい理由、どこまで知っておけばまずはOKなのかについて紹介します。

なぜ機械学習を体験する必要があるのでしょうか。それは「機械学習＝難しい＝無理」と勘違いしたまま損をしている人が多いからです。

機械学習を知っておくべき理由

AIを使う側に立とうとすると、「機械学習」への理解は外せません。

しかし機械学習は今日も世界中でさまざまな方法が考案され、また発表されています。

そこで機械学習が持つ特徴を大まかに知ることで、例えば工場の部品を検品するとき、職場で決まった作業を自動化するとき、大量の情報を分類してマーケティングに利用するときなど、使いたいシーンに適した機械学習の手法を選べるようになります。

もし何も知らないままだとすると、「機械学習？ あ〜、難しそう!」だけで思考が停止し、AIに使われるだけの人材（＝AIで仕事を失う人材）になってしまう可能性もあります。

「深く理解してない＝使えない」ではない

機械学習というと難しいイメージをしてしまいがちです。それは機械学習という言葉と一緒に紹介される以下のような単語から「数学に強く、最先端の技術も深く理解しないと使えない」と感じてしまうからでしょう。

ベイズ統計学
ニューラルネットワーク
階層ネットワーク（Backpropagation）
畳み込みニューラルネットワーク（CNN：Convolution Neural Network）
サポートベクターマシン（SVM：Support Vector Machine）
アンサンブル学習

でも、こういった部分は世界の名だたる天才に任せておいて、私たちは天才が用意してくれたものを使えばいいのです。専門知識がなくても機械学習は十分使いこなせます。

電子レンジは、電子の動きの仕組みを理解しなくても使えます。同じように、車もエンジンの構造を理解せずとも運転できます。
確かに可能なら理解しているほうが良いに決まっています。だからこそ私たちは「学ぶ」という行動を止めてはいけません。

ですが**「深く理解してない＝使えない」ということにはなりません。**

まず私たちがAIを使う側に立つためには、天才が用意してくれたものを使い、どういったシーンで活用できるのかを体験から知っておくことだと、私は考えています。AIをエクセルやワードと同じ感覚で使っていきたいものですね。

19
日目
3/4

第5章で学ぶこと

「教師なし」機械学習を体験するにあたって、どういったことを行い、どんなゴールを目指すのか明確にしておきましょう!

この章でのゴール

教師なし機械学習を実施することで、コンピュータ自らがルールやパターンを見つけ、画像の集まりを分類する様子を体験していきます。

<分類される前>

書籍に使われている表紙の画像を集めています。

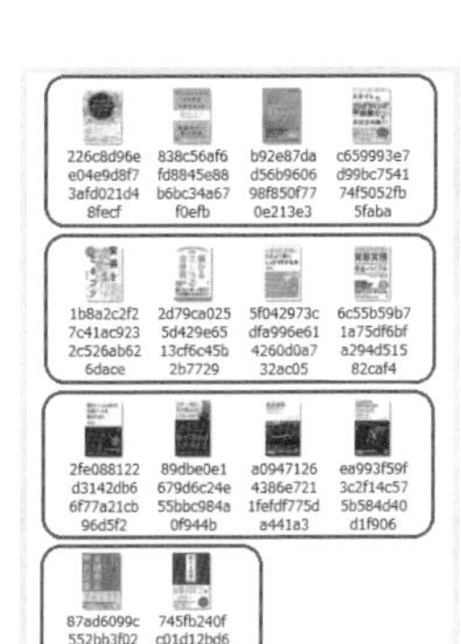

<分類された結果(一部抜粋)>

表紙の特徴(色やデザイン)で大まかに4つに分類しています。

人間が前もってコンピュータへ教えなくても、コンピュータが自分で考えて分類します。

機械学習に必要な知識と技術は？

機械学習は、Pythonの機能を利用することで実現できます。

今回使うのは、機械学習に必要な機能を備えている**「サイキット・ラーン(scikit-learn)」**と呼ばれるものです。

サイキット・ラーンとは、大部分がPythonで作られている機械学習の機能が集まったプログラム（ライブラリー）です。誰でも無料で利用できるので、今では世界中で使われています。

サイキット・ラーンには機械学習に必要な機能が多く準備されているので、私たちが解決したい内容によって適切な機械学習機能を選び、AIを作ることができるようになっています。

ご注意ください！

この章で行う実習には、これまで登場した技術を使います。また、今回はじめて登場する技術もいくつか登場します。

しかし、ここまで進んでこられたあなたなら、少しだけ考えていただくと「あっ、なるほど」と気づきがあるでしょう。

少しずつ慌てずに進めてもらうことで、きっとあなたにも機械学習の特性や曖昧さ、人間の判断とは違うことがわかってもらえると思います。

それでは「教師なし機械学習」を実体験していきましょう！

19 日目 4/4 機械学習のための準備をしよう！

AIとは切り離せない「機械学習」を体験するために必要な準備をします。

機械学習で使う画像を準備しよう！

STEP1：機械学習で使う画像の置く場所を作成する
「ドキュメント/pycvai/（Mac：書類/pycvai）」の中に「original」という名前のフォルダを作成します。

STEP2：機械学習で使う画像をコピーする
【課題1】でダウンロードしたzipファイルを展開したときに作成された「progai/cluster/images」の中に画像ファイルが複数入っています。「ドキュメント/pycvai/original（mac：書類/pycvai/original）」の中へ画像ファイルをすべてコピーします。

「sckit-learn」を追加しよう！

以下のステップに従って「scikit-learn」に関する機能を追加しパワーアップさせます。

STEP0：インターネットに接続できることを確認してください。

STEP1：Anaconda Navigatorを起動します。P162のSTEP1と同じです。

STEP2：左にある「Environments」をクリックし、studyAIを選びます。P163のSTEP2と同じです。

STEP3：画面上部にある「installed」を「Not installed」に変え、右横の「Search Packages」へ「scikit」と入力します。

すると、以下のような表示に変化します。

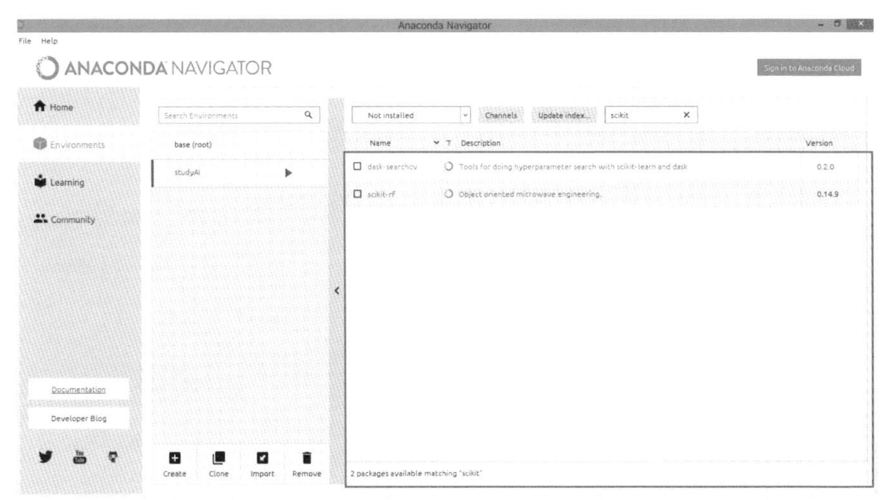

STEP4：表示された中から「scikit-learn」と「scikit-image」の2つにチェックを入れ、画面下部にある「Apply」ボタンをクリックします。

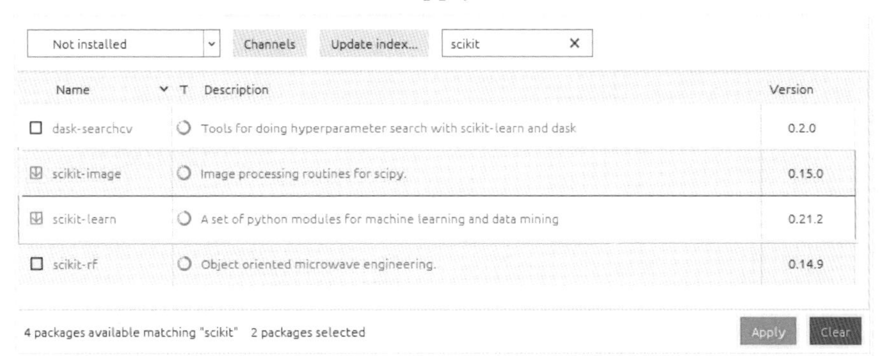

STEP5：「Install Packages」という窓が開き、これからパワーアップさせる機能の一覧が表示されますので、窓の下にある「Apply」ボタンをクリックします。

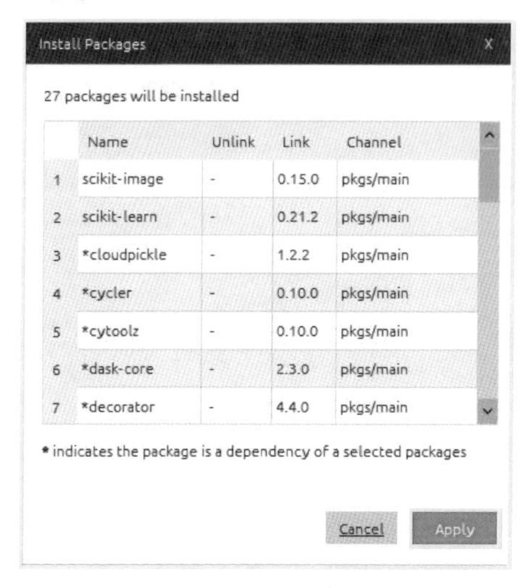

STEP6：追加機能のインストールがスタートします。インストールが終わると下の画面のようになります。それまで少しお待ちください。

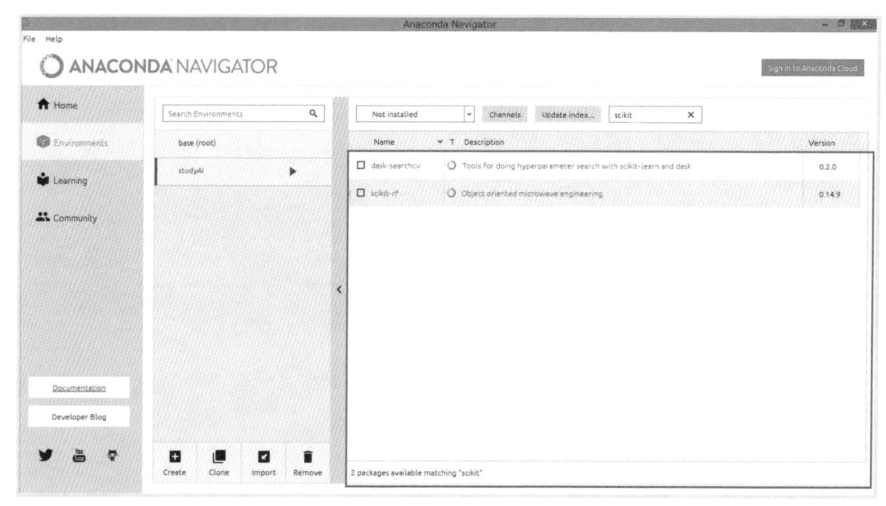

STEP7：画面上部にある「not installed」を「installed」に変えます。すると以下のような表示に変化します。

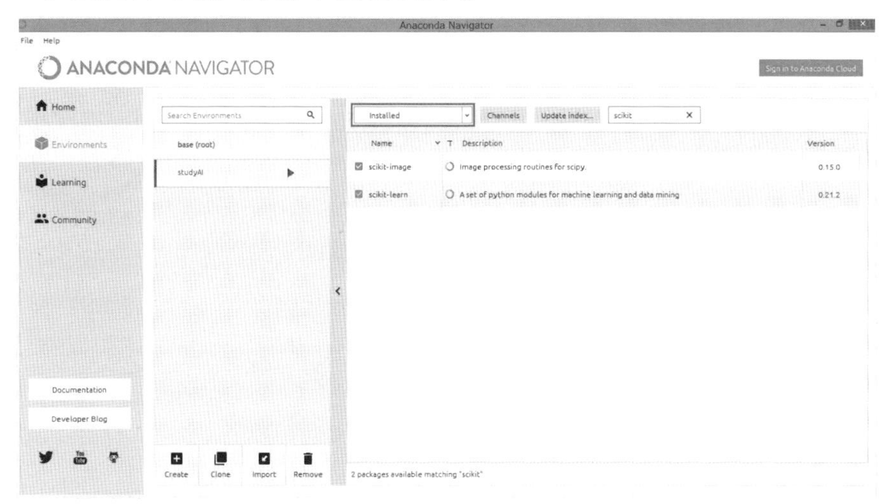

教師なし機械学習で使う機能が追加されたことを確認できました。

STEP3で「scikit」が見つからない場合は、本書特設ページの「追加情報やQ&A」を参考にしてください。

https://021pt.kyotohibishin.com/books/aipg/knowledge-faq/

19日目のまとめ

- 機械学習には「教師あり」と「教師なし」があることを覚えておこう
- 機械学習は細かな部分まで全て知らないと使えないわけではない
- 機械学習は天才が用意してくれたライブラリーを使うことで簡単に利用できる
- サイキット・ラーンは最近人気の機械学習ライブラリーなので、名前だけでも覚えておこう
- Pythonが使えると謎な印象が強い「機械学習」まで自分で体験できる

20日目 1/2 機械学習プログラムを作ってみよう！(1回目)

新しいプログラムの命令も出てきますが、何をしているのか慌てずにゆっくりと見ながら進んでいきましょう。

課題の内容

複数の画像を読み込みながら画像のサイズを全部同じ大きさにして保存します。機械学習の前準備、大切な段階です。

STEP1 機械学習で使うフォルダを準備しよう！

Windowsの場合

エクスプローラーで「ドキュメント/pycvai」を表示し、その中に「conv」というフォルダを作成しましょう。

Macの場合

Finderで「書類/pycvai」を表示し、その中に「conv」というフォルダを作成しましょう。

STEP2 プログラミングの準備をしよう！

テキストエディタを起動したら新規作成を選び、まずは使いたい外部のモジュールを入力しましょう。

```
1  import os
2  import glob
```

```
3    from PIL import Image
```

ヒント

大文字小文字、半角空白に注意しよう!

入力を終えたらいったん保存します。保存先の情報は以下のとおりです。

ファイル名:machine_learn.py
保存場所:ドキュメント/pycvai/ (Mac:書類/pycvai)
保存形式(文字コード):utf-8

STEP3 開始と終了のメッセージを表示しよう!

STEP2の後ろへ、以下の内容を追加で入力します。

```
4    print('START--->')
5    print('END--->')
```

STEP4 画像サイズを変更するメッセージを表示しよう!

STARTとENDメッセージの間に以下の内容を入力します。

```
6    print('Image Resize--->')
7    print('RESIZE--->OK!')
```

STEP5 複数画像を順に読み込みながらサイズを変えて保存しよう!

STEP4で入力した2行のメッセージの間に以下の内容を入力します。

```
8   for path in glob.glob('./original/*.jpg'):
9       filename = os.path.basename(path)
10      img = Image.open(f'./original/{filename}')
11      img = img.convert('RGB')
12      img_resize = img.resize((78, 100))
13      img_resize.save(f'./conv/{filename}')
```

ヒント

・インデントに注意しましょう!
・「.(ピリオド)」や「'(シングルクォーテーション)」「:(コロン)」が多いので入力ミスに気をつけよう!
・入力する内容は全部「半角」、大文字小文字にも気をつけよう

ここまで入力できれば保存し、これまでと同じようにターミナルから動かします。

※正解コードは、【課題1】でダウンロードしたzipファイルを展開したときに作成された「progai/課題/5章/その1」、または以下のリンクから確認してください。

▶ https://021pt.kyotohibishin.com/books/aipg/contents5

```
python machine_learn.py
```

入力できたらEnterキーを押します。

コードの解説

1 フォルダ「original」の中にある拡張子が「jpg」に一致する画像ファイルを順番に見つけています。
2 見つけた画像ファイルの名前を取り出しています。
3 取り出した画像ファイルをカラーで読み込みます。
4 画像の大きさを横78px、縦100pxに揃えます。
5 サイズを変えた画像情報をフォルダ「conv」の中へ保存します。

※細かな命令の内容を知りたい人はインターネットで検索しましょう。検索結果とコードの解説を読み比べることで理解も深まります。

答え合わせ

左のようにフォルダ「conv」へ画像が保存されているか確認しましょう。
※画像の並び順は環境によって変わります。

<ターミナルに表示された結果>

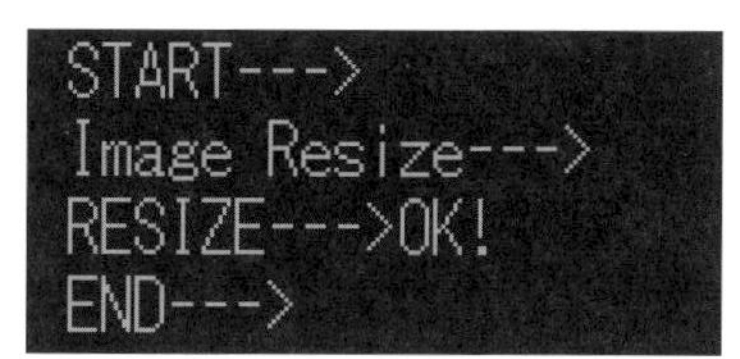

20日目 2/2 機械学習プログラムを作ってみよう!(2回目)

「機械学習プログラムを作ってみよう」の2回目です。これまで学んだことを振り返りながら慌てずにゆっくりと進んでいきましょう。

課題の内容

【1回目】で作成した内容に対して、以下のプログラミングを行います。【1回目】で保存したファイル「machine_learn.py」をエクスプローラー(Macの場合はFinder)で保存場所を見つけ、テキストエディタで開いて準備をします。

STEP1 ファイルを操作できるように外部モジュールを追加しよう!

「import os」の下へ、以下の内容を追加入力します。

```
1   import shutil
```

STEP2 リサイズ画像を全部削除しよう!

注意

ファイル削除をする部分なので、慎重に入力してください。間違った場所を入力すると、お使いのパソコンが動かなくなる可能性があります。

まず、「conv」の中にあるリサイズ画像をプログラムを使って削除します。「START--->」メッセージの下へ、以下の内容を追加入力します。

```
2    print('Initialize--->')
3    for path in glob.glob('./conv/*.jpg'):
4        print('Convert File Delete --> ' + path)
5        os.remove(path)
```

ヒント

- インデントに注意しましょう。
- 前回実行した結果が不要な場合は最初に削除します。初期化といいます。
- ここでは「conv」の中にあるファイルを削除しています。

「conv」フォルダの中にある拡張子が「.jpg」のファイルを1つずつ見つけ、「os.remove()」で削除しています。

STEP3 結果を保存する「group」フォルダを削除しよう!

注意

フォルダ削除をする部分なので、慎重に入力してください。間違った場所を入力すると、お使いのパソコンが動かなくなる可能性があります。

前回の実行結果が残ったままだと、今回動かした結果と混ざって判断できないため、最初に削除しておきます。STEP2で入力した後に、以下の内容を追加入力します。

```
6    for path in glob.glob('./group/'):
7        shutil.rmtree(path)
8        print('Grouping Directory Delete --> ' + path)
```

ヒント

- インデントに注意しましょう。
- ここでは「group」フォルダを削除しています。

「group」フォルダを見つけ、「shutil.rmtree()」で削除しています。

ここまで入力できたら「machine_learn.py」を保存し、動かしてみましょう。

※正解コードは、【課題1】でダウンロードしたzipファイルを展開したときに作成された「progai/課題/5章/その2」、または以下のリンクから確認してください。

https://021pt.kyotohibishin.com/books/aipg/contents5

動かし方は、1つ前と同じです。思い出して動かしてみましょう!

答え合わせ

<ターミナルに表示された結果>

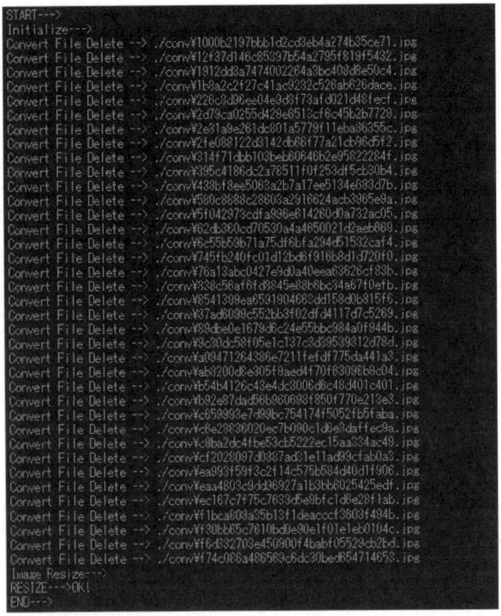

```
START--->
Initialize--->
Convert File Delete --> ./conv¥1000b2197bbb1d2cd3eb4a274b35ce71.jpg
Convert File Delete --> ./conv¥12f37d146c85337b54a2795f819f5432.jpg
Convert File Delete --> ./conv¥1912dd3a7474002264a3bc408d8e50c4.jpg
Convert File Delete --> ./conv¥1b8a2c2f27c41ac9232c526ab626dace.jpg
Convert File Delete --> ./conv¥226c8d96ee04e9d3f73afd021d48fecf.jpg
Convert File Delete --> ./conv¥2d79ca0255d429e6513cf6c45b2b7729.jpg
Convert File Delete --> ./conv¥2e31a9e261dc801a5779f11eba36355c.jpg
Convert File Delete --> ./conv¥2fe088122d3142db66f77a21cb96d5f2.jpg
Convert File Delete --> ./conv¥314f71dbb103beb60646b2e95822284f.jpg
Convert File Delete --> ./conv¥395c4186dc2a78511f0f253df5cb30b4.jpg
Convert File Delete --> ./conv¥438bf8ee5063a2b7a17ee5134e683d7b.jpg
Convert File Delete --> ./conv¥580c8888c28603a2916624acb3965e9a.jpg
Convert File Delete --> ./conv¥5f042973cdfa996e614260d0a732ac05.jpg
Convert File Delete --> ./conv¥62db360cd70530a4a4650021d2aeb669.jpg
Convert File Delete --> ./conv¥6c55b59b71a75df6bfa294d51532caf4.jpg
Convert File Delete --> ./conv¥745fb240fc01d12bd6f916b8d1d720f0.jpg
Convert File Delete --> ./conv¥76a13abc0427e9d0a40eea63626cf83b.jpg
Convert File Delete --> ./conv¥838c56af6fd8845e88b6bc34a67f0efb.jpg
Convert File Delete --> ./conv¥8541399ea6531904663dd158d0b815f6.jpg
Convert File Delete --> ./conv¥87ad6099c552bb3f02dfd4117d7c5269.jpg
Convert File Delete --> ./conv¥89dbe0e1679d6c24e55bbc984a0f944b.jpg
Convert File Delete --> ./conv¥9c30dc58f05e1c137c3d39539312d78d.jpg
Convert File Delete --> ./conv¥a09471264386e7211fefdf775da441a3.jpg
Convert File Delete --> ./conv¥ab3200d8e305f9aed4f70f63098b9c04.jpg
Convert File Delete --> ./conv¥b54b4126c43e4dc3006d6c48d401c401.jpg
Convert File Delete --> ./conv¥b92e87dad56b960698f850f770e213e3.jpg
Convert File Delete --> ./conv¥c658993e7d99bc754174f5052fb5faba.jpg
Convert File Delete --> ./conv¥c6e28836020ec7b090c1d6e3daffec9a.jpg
Convert File Delete --> ./conv¥c8ba2dc4fbe53cb5222ec15aa334ac49.jpg
Convert File Delete --> ./conv¥cf2028097d0387ad31e11ad99cfab0a3.jpg
Convert File Delete --> ./conv¥ea993f59f3c2f14c575b584d40d1f906.jpg
Convert File Delete --> ./conv¥eaa4803c9dd96927a1b3bb6025425edf.jpg
Convert File Delete --> ./conv¥ec167c7f75c7633d5e9bfc1d6e28f1ab.jpg
Convert File Delete --> ./conv¥f1bca803a35b13f1deacccf3603f494b.jpg
Convert File Delete --> ./conv¥f30bb65c7610bd0e90e1f01e1eb0104c.jpg
Convert File Delete --> ./conv¥f6d832703e450900f4babf05529cb2bd.jpg
Convert File Delete --> ./conv¥f74c086a486563c6dc30bed654714653.jpg
Image Resize--->
RESIZE--->OK!
END--->
```

コードの解説

1 **使いたい外部モジュールを宣言しました。**

2 **今回追加したフォルダ「conv」の中を削除する機能を追加しています。**

3 **分類結果が置かれるフォルダ「group」を削除する機能を追加。**

※細かな命令の内容を知りたい人はインターネットで検索しましょう。検索するほど理解が深まります。

20日目のまとめ

機械学習プログラムで使う画像ファイルを準備しよう

画像ファイルを比較するための準備として大きさを合わせている

元の画像と結果の画像の間に作られる処理途中の画像は、毎回削除しておくことでややこしくならない

少しずつPythonで書くコードが長くて複雑になっていますが、1つずつ丁寧に入力するように注意しよう

21日目 1/3 機械学習プログラムを作ってみよう!(3回目)

「機械学習プログラムを作ってみよう」の3回目です。これまで学んだことを振り返りながら慌てずにゆっくりと進んでいきましょう。

課題の内容

【2回目】で作成した内容に対して、以下のプログラミングを行います。【2回目】で保存したファイル「machine_learn.py」をエクスプローラー(Macの場合はFinder)で保存場所を見つけ、テキストエディタで開いて準備をします。

STEP1 機械学習の前準備で使う外部モジュールを追加しよう!

「from PIL import Image」の下に以下を追加します。

```
1  import numpy as np
2  from skimage import data
```

STEP2 リサイズ画像を機械学習で使えるように変換し整えよう!

「print('RESIZE--->OK!')」の下に以下を追加します。

```
3  feature = np.array([
4      data.imread(path)
5      for path in glob.glob('./conv/*.jpg')
6  ])
```

```
7    print('Data Create--->OK!')
8    feature = feature.reshape(len(feature), -1).astype(np.float64)
9    print('Data Adjust--->OK!')
```


ヒント

・インデントに注意しましょう。
・() や[]の括弧が多いので注意しよう。

ここまで入力できたら「machine_learn.py」を保存し、動かしてみましょう。
※正解コードは、【課題1】でダウンロードしたzipファイルを展開したときに作成された「progai/課題/5章/その3」、または以下のリンクから確認してください。
https://021pt.kyotohibishin.com/books/aipg/contents5

動かし方は、1つ前と同じです。

答え合わせ

見た目に大きな変化はありませんが、以下のようにメッセージが表示されているか確認しましょう。

<ターミナルに表示された結果（一部抜粋）>

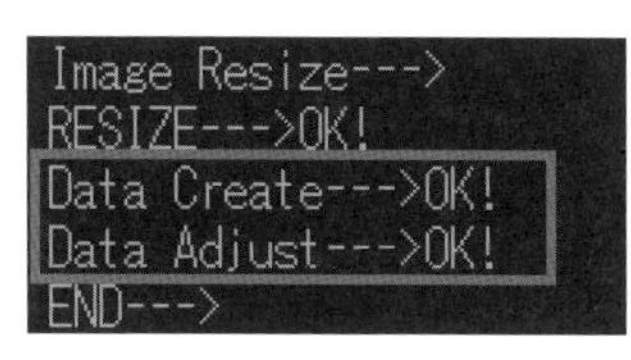

「AttributeError」が表示された場合には、本書特設ページの「追加情報やQ&A」を参考にしてください。
https://021pt.kyotohibishin.com/books/aipg/knowledge-faq/

前回の結果に、枠部分が追加表示されていればOKです。

21日目 2/3 機械学習プログラムを作ってみよう!(4回目)

「機械学習プログラムを作ってみよう」の4回目です。いよいよ「教師なし機械学習」の根幹に入っていきます。

課題の内容

【3回目】で作成した内容に対して、以下のプログラミングを行います。【3回目】で保存したファイル「machine_learn.py」をエクスプローラー(Macの場合はFinder)で保存場所を見つけ、テキストエディタで開いて準備します。

STEP1 教師なし機械学習を行う外部モジュールを追加しよう!

「from skimage import data」の下、以下の内容を追加入力します。

```
1  from sklearn.cluster import KMeans
```

STEP2 教師なし機械学習を追加しよう!

今回体験する教師なし機械学習は、人間によって特徴(答え)が与えられていないデータから法則性をコンピュータが学習し(見つけ出し)、自動的に分類する「クラスタリング」と呼ばれる方法を行います。

クラスタリングには、さまざまな機械学習の方法(モデル)があります。今回はシンプルでよく使われる「k-means clustering(k平均法)」を使って体験してみましょう。

k平均法とは

分類したいデータの平均点を計算し、平均点に近いデータをグループにする方法です。k平均法の特徴は、分類したいグループの数（クラスタ数）を人間が決めないといけないことです。

k平均法の分類イメージ

ここではグループ（クラスタ）数を「2」として分類されるイメージを見ていきます。

(a) データがあります。人間が特徴を与えていないので分類ができていません。インターネットからデータを集めただけという感じです。

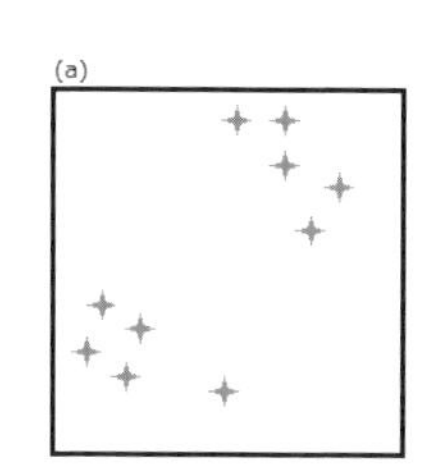

(b) クラスタ数が「2」なので、2つの代表点を適当に設定します。

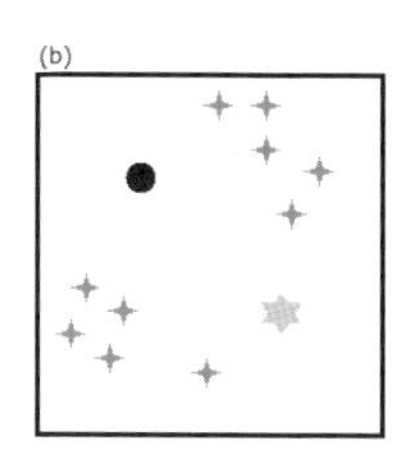

(c) 代表点から近いほうへデータが所属するようにします。

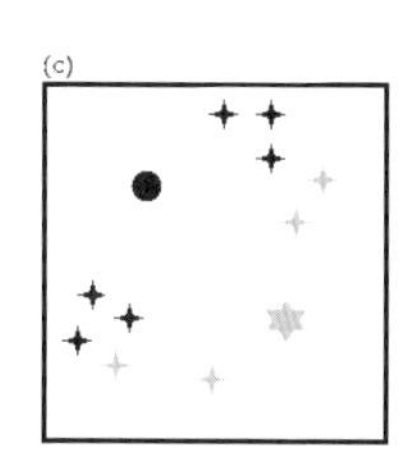

(d) それぞれ所属した中で代表点を計算し、新しい代表点を設定します。

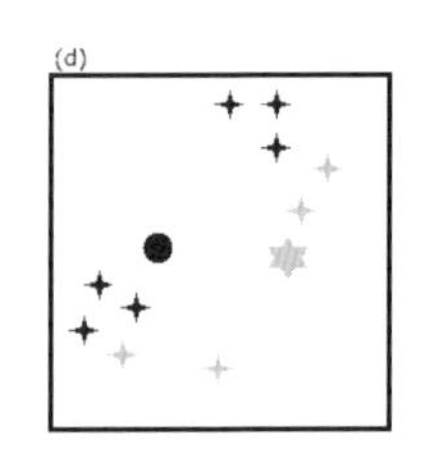

(e) 新しい代表点に近いデータをグループにします。

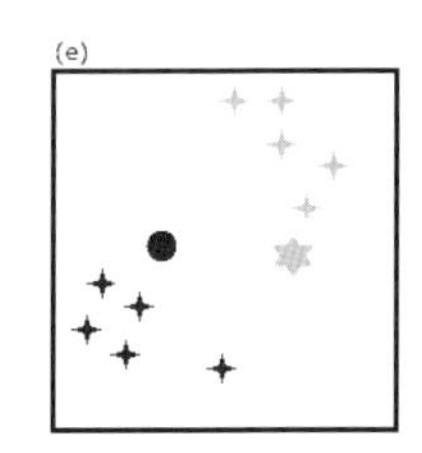

(f) (c) から (e) を何度か繰り返します。そうすると新しい代表点が変化しないタイミングがやってきます。変化しないということは、分類できたということになります。

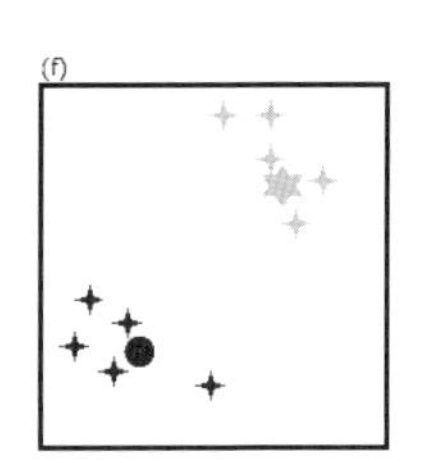

最終的に分類された内容を、分類情報（ラベル）としてデータに割り当てて終了します。

ヒント

k平均法と似た呼び名に**「k近傍法」**というものがあります。名前が似ているので同じ方法だと思うかもしれません。

でも「k平均法」は教師なし学習で分類する方法で、「k近傍法」は教師あり学習で分類する方法です。それぞれ機械学習ではありますが、細かな部分に違いがあることを覚えておきましょう。

メッセージ表示「Data Adjust--->OK!」の下に以下の内容を入力します。

```
2   model = KMeans(n_clusters=4).fit(feature) #k平均法を実行
3   print('KMeans--->OK!')
```

※今回はクラスタ数に「4」を指定しています。

STEP3 教師なし機械学習で分類された画像をコピーしよう!

メッセージ表示「KMeans--->OK!」の下へ、以下の内容を入力します。

```
4   labels = model.labels_  #行末の「_」に注意!これが分類結果のラベ
ル情報
5   for label, path in zip(labels, glob.glob('./conv/*.jpg')):
6       filename = os.path.basename(path).replace('.jpg', '') + '.jpg'
7       os.makedirs(f"./group/{label}", exist_ok=True) #groupフォル
ダ作成
8       shutil.copyfile(f"./original/{filename}", f"./group/{label}/
{filename}")
9       print(label, filename)
```

ヒント

・「group」フォルダを自動的に作成し、その中へ分類した画像を複写します。
・「()」「.」「,」「'」「"」「/」「{}」が増えていますので慎重に入力しましょう!

※正解コードは、【課題1】でダウンロードしたzipファイルを展開したときに作成された「progai/課題/5章/その4」、または以下のリンクから確認してください。

https://021pt.kyotohibishin.com/books/aipg/contents5

21 日目 3/3 機械学習の結果を動かして見てみよう！

ここまでで作ったプログラムを実際に動かして結果を見てみましょう。

課題の内容

P262で作成した機械学習プログラムを使って、コンピュータに画像を自動的に分類してもらいます。どのようにコンピュータが分類しそうか、予測しておくといいですね。

動かす前の確認

以下の内容をエクスプローラー（MacはFinder）で確認します。

1 「ドキュメント/pycvai（Macは書類/pycvai）」の中に「machine_learn.py」プログラムがある。
2 「ドキュメント/pycvai（Macは書類/pycvai）」の中に「original」フォルダがある。
3 「original」フォルダの中に画像がある。
4 「ドキュメント/pycvai（Macは書類/pycvai）」の中に「conv」フォルダがある。

見つからない場合は、P248や252へ戻って順番に準備してください。

また5つめとして、

5 「ドキュメント/pycvai（Macは書類/pycvai）」の中に「group」フォルダ

が存在していない。
についても確認しておきましょう。

動かしてみよう!

これまでと同じようにターミナルから動かします。

```
python machine_learn.py
```

入力できたらEnterキーを押します。

動かない場合

上手く動かない場合は、P252～265までの内容を振り返りながら、自分で作ったプログラムの内容に間違いがないかを確認しましょう。
また、完成版コードと見比べてみるのも、解決する近道になります。
注意して見るポイントは、
大文字小文字の違い
日本語以外での全角文字はNG
インデントが正しいか
「.」「,」「:」「;」「()」「{}」「/」「'」「"」「_」など記号の使い方
カッコは必ず対になっているか

見落としがちですが、しっかりと落ち着いて確認しましょう。

答え合わせ

作成された「group」フォルダの中に、ラベルの番号別フォルダができています。今回はクラスタ数が「4」だったので4つフォルダができています。それぞれ分類された内容を見てみましょう。

<分類された結果>

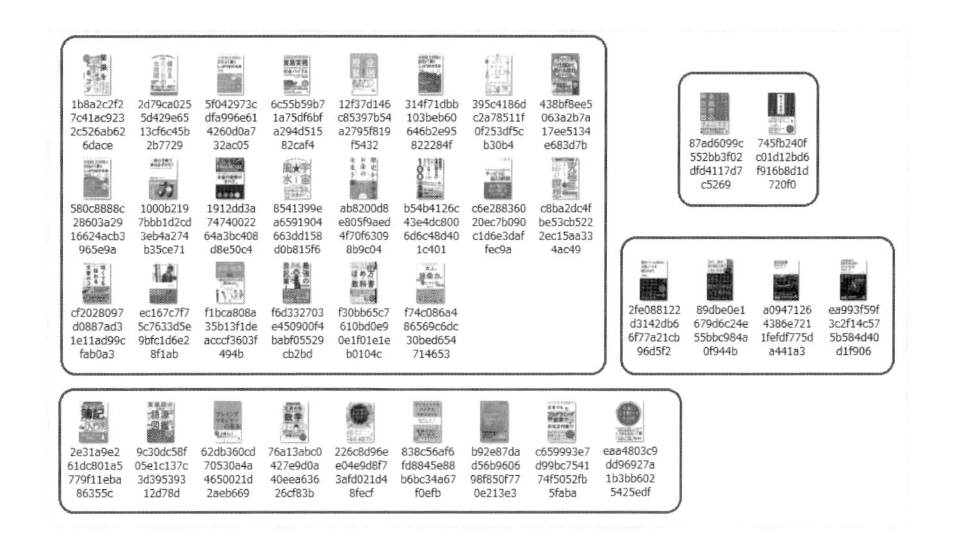

本書の結果とあなたの結果がまったく同じではないかもしれません。ここで大切なのは同じように分類されることではなく、コンピュータが自分でパターンを見つけ分類していることです。

結果を見ると、人間が分類する基準とは違っていることでしょう。しかし、これが教師なし機械学習の結果なのです。
そして、**コンピュータが実際にどういう基準で分類しているのかを、人間が外側から完璧に知る方法はない**ということも注目するポイントです。

AIって怖いものですか？

人工知能や機械学習とは、無条件に怖いものではありません。AIに向いている作業があるのは事実ですが、人間がまったく不要になることもありません。**AIや機械学習の強みは「どこに注目すれば上手く識別できるのか」を探すこと**ですので、特徴を教えることや分類や予測された結果を判断することが、これから人間が担う仕事になるだと思います。

そしてビジネスにおける知的活動の中心である「問題解決」でもっとも手間のかかる同一の特徴の発見や分類・予測をAIに任せることで手間から解放されれば、より人間らしい判断に時間を使うことができるようになるでしょう。

AIや機械学習がビジネスシーンに入ってくることは間違いありません。でも今回の体験を通した視点がなければ「ピンチ」だとわかっているだけで仕事がなくなる恐れを感じ続けるしかなかったと思います。

しかしあなたは、今はもう違っています。

新たな技術を身につけるきっかけを得たことで、経歴や働き方に関係なく必要とされることが増えてくるはずです。

また、このようなプログラミングスキルは、手に職をつける手っ取り早い方法でもありますし、転職や就職の切り札にもなるでしょう。

未来を決めるチャンスは毎日のチョイス（選択）によって決まります。あなたの明るい未来のために、優れたチョイスをしてください！

おわりに

本書をお読みいただき、ありがとうございます。

本書をプログラミング関係の専門書のように思われたかもしれません。そういう部分も含まれてはいますが、本書のテーマには「あなたにしかできないことを見つける」ということも含まれています。

いつの時代も技術の発展で仕事は消える

AIが新聞や雑誌、ニュースで取り上げられるようになったことで、好き嫌いに関係なく興味を持たざる得なくなりました。そんな流れの中で気になることがあります。それは**「AIって怖い」という煽り気味な情報が多い**こと。確かにAIという存在は少なくともいくつかの仕事をなくならせることは間違いありません。これはパーソナルコンピュータが普及する前にあった「キーパンチャー」という職業がなくなったことと同じです。

また、こういうことはこれまでにも起こっています。映画『ドリーム』をご覧になった方はご存じかと思いますが、ヒューマンコンピュータと呼ばれた優秀な女性達に代わって、IBMのFortran言語とマシンが登場し、彼女たちの仕事をなくしたのも同じ理由です。

するか、しないか。

映画『ドリーム』のような状況は、新しい仕事、新しい役割、新しい価値を自分に生み出すチャンスでもあります。映画の中でもIBMのマシンが導入され、自分たちの仕事がなくなるとわかったとき、一人の女性は図書館で「Fortran」という科学計算を得意とするプログラミング言語の本を手に入れ独学します。

その結果、導入されたIBMマシンを使いこなせるのは彼女しかいないため、ただ指示されて計算をしていた女性の一人から、マシンを操るプロ、そして後輩へ適切な方法を教育するプロへとキャリアを伸ばしていきました。

この実話に基づいた映画からもわかりますが、AIの登場もIBMマシンの登場と同じ。「自分の仕事がなくなる」と感じたとき「どうしよう」で思考を停止するのではなく、誰かが自分へ仕事を用意してくれるのを待つのでもなく、**自ら行動することで新しい人生を手に入れることができる**のです。

人生は簡単に変えられる

「AIなんてわからない」「自分には関係ない」と思い続けるのも良いでしょう。それは個人の自由です。しかし受け身でいる限り、何も変化が訪れないことも事実です。自分で決断し行動すること。すなわち自分の人生に波風を立てることで波紋が起こり、自分が影響を与える中心になることで人生は簡単に変化します。そのためには映画『ドリーム』の女性のように「使われる」のではなく「使う」立場になることが、AIの登場から受ける不安を払拭する最善策だと思っています。

本書をきっかけにしてAIプログラミングの体験を通じ、仕組みや「できること」「できないこと」を少しでも理解することで、本書のテーマでもある“AIにはできないけれど、あなたにしかできないこと”について考える時間を持ってもらえたなら、これほどうれしいことはありません。

最後に、ここまで読んでくださったあなたへ。

AIも現段階ではツールです。どう使うのかは人間次第です。そしてAIを使うプログラミングには学歴や経歴は関係ありません。プログラミングスキルを手にして、AIに使われるのではなく、自分が使うことで安心できる人生を楽しんでいきましょう！

2019年12月　自然しかない京都府木津川市より　日比野新

【著者紹介】

日比野　新（ひびの・しん）

◉――京都府出身。高校卒業後、18歳でエンジニアに。以後、30年間にわたって業務アプリケーションの提案、SEやプログラマーの人材育成・採用、ユーザーサポート、システム保守やメンテナンスを行う。

◉――現在は独立し、エンジニア経験を活かしてECサイトの集客マーケティング、フィットネス関係のプロモーション、WEB制作会社のプロデュースを行いながら、セールスコピーのライティング、オウンドメディア構築・運営、フェイスブック広告の出稿運営なども行う。

◉――エンジニア歴30年、プログラミング指導歴15年。これまで指導してきた人数は1000人を超える。プログラミング教室「侍エンジニア塾」の人気講師としても活躍中。Pythonをはじめとしたプログラミングの方法をわかりやすく教えることで未経験者からも人気を誇る。著書に『文系でもプログラミング副業で月10万円稼ぐ！』（小社刊）がある。

本書の特設サイト
https://021pt.kyotohibishin.com/books/aipg/

文系でも転職・副業で稼げるAIプログラミングが最速で学べる！

2020年１月20日　第１刷発行
2022年４月５日　第６刷発行

著　者――日比野　新
発行者――齊藤　龍男
発行所――株式会社かんき出版
東京都千代田区麹町4-1-4 西脇ビル　〒102-0083
電話　営業部：03(3262)8011㈹　編集部：03(3262)8012㈹
FAX　03(3234)4421　振替　00100-2-62304
http://www.kanki-pub.co.jp/

印刷所――新津印刷株式会社

 ISBN978-4-7612-7469-6 C0036